改訂版

移転価格対応に失敗したくない人が最初に読む本

押方新一 著

セルバ出版

まえがき

移転価格税制とは、海外にある関連会社との取引を資本関係のない第三者と同様の条件で行いなさいというルールです。

資本関係のない第三者には1万円で販売している商品を、「身内だから」という理由で海外子会社に7000円で販売すると、日本本社の利益が3000円少なくなり、その分日本の国に入る法人税の金額も少なくなります。

このように、グループ企業間で「身内びいき」を行うことによって、税収が減ってしまうことを防止するためのルールが移転価格税制です。

海外に進出する企業の数は増える一方で、各国の税務当局も移転価格税制に対するルールの整備、移転価格調査の強化を進めています。

本書を手に取られた方も「そろそろウチも移転価格対応が必要なのかな?」と考えておられるのではないでしょうか。

移転価格対応の必要性が高まっていることは事実ですが、「移転価格税制とは何か」ということを解説した本はあっても、「このような考え方で移転価格対応を始めないと失敗しますよ」ということを解説した本は少ないと思います。

そこで本書は、ローカルファイルの内容や独立企業間価格算定方法の説明といった移転価格税制自体の内容を詳細に解説することではなく、移転価格対応に失敗しないために事前に知っておくべき基礎知識や考え方をお伝えすることを目的としました。

初版の刊行から国税庁の組織再編、新型コロナの発生、移転価格事務運営要領の改正などがありましたので改訂版を発刊することになりましたが、本書の目的自体に変わりはありません。

何よりも「わかりやすさ」を重視して書いていますので、移転価格対応を始めるにあたっての入門書としてぜひ本書をご活用ください。

改訂版では、親子ローン利率及び債務保証料に関する移転価格事務運営要領の改正、DCF法、調査で認められないことが多い特殊要因調整、寄附かどうか迷う事例等を加筆修正しています。

2022年7月

移転価格コンサルタント　押方　新一

改訂版　移転価格対応に失敗したくない人が最初に読む本　目次

2章　移転価格税制とは

3章　どのように独立企業間価格を算定するのか

6章　移転価格対応に失敗しないために

序章

最初に知っておいて欲しいこと

1 「文書化」は移転価格対応の一部に過ぎない

ローカルファイルの作成を専門家に外注してはいけない

はじめまして。押方移転価格会計事務所の押方と申します。

私は海外に進出している中堅企業（売上数十億円～数百億円程度）が、移転価格税制に対応できるようになるためのご支援を行っています。

移転価格税制について調べていると必ず、「文書化」というキーワードにあたりますので、何かの文書を作成することが移転価格対応だと思っている方がいるかもしれません。

確かに移転価格対応においては、「ローカルファイル」（以前の言い方では「移転価格文書」）という文書を作成することが必要になります。

ですが、ローカルファイルをコンサルタントに依頼して作成してもらえば、それで移転価格対応は終わりなのかというと、そうではありません。

詳しくは本書で説明していきますが、ここではその理由をとりあえず4つ挙げておきます。

① ローカルファイルは毎年更新する必要がある

ローカルファイルとは、海外子会社との取引を適切に行っているかどうかを検証した文書のことですが、海外子会社との取引は、1年限りで終わるものではなく、ずっと続くものですので、ローカルファイルも毎年更新する必要があります。

毎年、コンサルタントに外注する予算が取れる会社であれば問題ないのかもしれませんが、そうでなければ1年分だけローカルファイルをつくるということになり、それではあまり意味がありません。

②　ノウハウの蓄積が不十分になる

ローカルファイルの作成をコンサルタント任せにしてしまうと、作成過程にブラックボックスが生じます。完成したローカルファイルについての説明を受けただけでは、理論的背景や実務の細かい部分についての理解が不十分となる可能性が高いです。

税務調査時において、ローカルファイルの内容を説明するのは企業自身なのですから、企業自身がローカルファイルの内容についてしっかり理解しておかなければなりません。

③　日常対応ができない

ローカルファイルは1年に1回更新する文書ですが、移転価格税制に関連するトピックは日常的に起こるものです。

例えば、海外子会社と新たな商品の取引を始める場合や、海外子会社との取引の商流（取引フロー）

に変更が起きた場合は、その都度、移転価格上の問題がないかを検討しなければなりません。

外部の専門家が企業内部の事情を把握することには限界がありますので、企業自身が移転価格税制に関する知識を身につけて日常対応を行うしか方法はないと思います。

④ 海外寄附金対策がモレる

移転価格税制の適用対象は、商品や製品の売買（棚卸資産取引）だけではなく、海外子会社に出張して技術指導を行った際の対価の回収どうするかといったサービス取引（役務提供取引）や、海外子会社にお金を貸した場合に適切な金利を取っているかどうかという金融取引も含まれます。

正確には親子間のサービス取引や金融取引は、移転価格税制と兄弟のような関係にある「海外子会社への寄附金」として税務調査で指摘されることが多いです。

ローカルファイルに何を書いていたとしても、「技術支援を行うために3月11日から18日まで技術部の山田さんがタイ子会社に出張した際の費用」などの個別の取引において、しかるべき対価を回収していなければ、その分は海外子会社への寄附金として指摘を受けるということです。

移転価格税制は「海外子会社への所得移転があるか」という視点で、海外寄附金は「海外子会社から回収すべき対価を回収しているか」という視点ですが、両者は必ずしも明確に区別できるものではありません。

ですが、企業としては、「移転価格と寄附金の区別」という学者の本に書いているような理論的な話よりも、結論として追徴課税を受けるのかどうかという実務に関心があるわけですから、移転価格税制と海外寄附金をセットと考えて、その両方について対策を行っておく必要があります。

移転価格税制に対応できる社内体制を構築しよう

このように、外部専門家にローカルファイルの代行作成を依頼しても移転価格税制（及び海外子会社への寄附金）に関する問題を根本的に解決することはできないということです。

結局のところ、企業自身が移転価格税制への対応ノウハウを身につける以外にないということになります。

ちなみに税理士法人などが作成した文書には「移転価格分析報告書」などのタイトルがつけられていますが、これはあくまでもコンサルタントから企業への報告書です。

移転価格税制で求められている文書は、企業から税務当局への報告書であるローカルファイル（移転価格文書）ですので、両者の違いを理解しておきましょう。

コンサルタントが作成した文書は企業への報告資料ですので、移転価格税制に関する国際ルールを協議するOECDが作成した「OECD移転価格ガイドライン」の日本語訳や、独立企業間価格の算定方法の解説といった内容が含まれていることがあります。

ですが、当然ながら税務当局への説明資料であるローカルファイルにそのような情報は必要ありません。

コンサルタントが作成した企業向けの報告資料を中身もよくわからないまま、「こんなのつくってもらったんですけど・・」と税務当局に提出しているのであれば、それは移転価格税制のことを理解していないと宣言しているようなものです。

海外でビジネスを続ける以上は、これからもずっと移転価格税制と関わり続けなければならないのですから、コンサルタントに丸投げするのではなく、多少労力はかかっても社内にノウハウを蓄積する道を選んだほうがいいと思います。

企業が自力で移転価格税制に対応できるようになれば、移転価格リスク（移転価格税制の適用を受けることによる追徴課税リスク）を継続的に下げることができますし、外部専門家に支払うコストも抑制することができます。

コストの面でも効果(=税務当局への説明力)の面でも移転価格対応を内製化することにはメリットがあるという考えから、当事務所は「ローカルファイルの代行作成」ではなく、「移転価格税制に対応できる社内体制づくり」をコンサルティングの目的としています。

会計事務所というよりは移転価格税制に関する研修所や学校に近いイメージです。

そして学校は、いずれは卒業するものです。ローカルファイルの更新を含む移転価格対応を自力で完結できるようになって卒業していただくことが、コンサルティングのゴールだと考えています。

移転価格税制は他の税制とは毛色が違う部分があり、最初は得体の知れない不安を感じるかもしれませんが、車の運転と同じで一定の知識と実務ノウハウを身に着ければ、企業が自ら移転価格対応を行うことは十分可能です。

要は、慣れの問題ですので、食わず嫌いをせずに、情報収集からはじめてみてはいかがでしょうか。

2　「正しい価格」など存在しない

海外子会社との取引価格に「正解」はない

そもそも移転価格税制とは何かということですが、一言で言うと、「海外子会社との取引を妥当な価格で行いなさい」というルールです。

資本関係のない第三者同士であれば、取引価格はしっかりした交渉によって決まりますが、親子会社間の場合はそうとは限りません。

身内同士ですので、「特別プライス」で取引を行うこともあり得ます。

そのような身内びいきが行われた結果、日本に入るべき税収が減ることを防ぐことが移転価格税制の目的です。

そのため親子間取引を妥当な価格で行う必要があるのですが、この「妥当な価格」という意味は、「正しい価格」という意味ではありません。

言われてみれば当たり前のことですが、価格に正しいも間違いもありません。

例えば、喫茶店のコーヒーの価格について、３００円は正しく、５００円は間違いというものではないでしょう。

ですが、やはり「妥当な価格」というものは存在します。

普通の喫茶店のコーヒーであれば１００円は安すぎる感じがしますし、７００円は高すぎると感じるのではないでしょうか。

喫茶店のコーヒーの場合は３００円～５００円ぐらいが「妥当な価格」といえそうです。

移転価格税制は親子間取引をこのような「妥当な価格」で取引することを求めているのであり、「正しい価格」などというものは、そもそも存在しないということを最初に理解しておきましょう。

独立企業間価格とは

この「妥当な価格」ですが、移転価格税制においてはもう少し積極的な意味づけが行われています。それは資本関係のない第三者同士の取引でも成立し得る価格という意味であり、これを独立企業間価格といいます。

つまり移転価格税制は、身内である海外子会社との取引を資本関係のない第三者同士でも成立し得る価格（独立企業間価格）で行うことを求める税制ということです。

独立企業間価格という言葉は、移転価格税制における最重要ワードですので、ぜひここで覚えてください。

ちなみに独立企業間価格のことを英語でArm's Length Price（ＡＬＰ）といいますが、これは「腕の長さの距離を保った価格」、つまり「高過ぎでもなく安過ぎでもない価格」という意味です。

英語にすると、「妥当な価格」という日本語に近いニュアンスを感じると思います。

一定のレンジ内に入っていればいい

正しい価格ではなく妥当な価格で親子間取引を行うという趣旨から、独立企業間価格は一点にずばり定まるものではなく、一定の幅を有するものと解釈されています。

この幅のことを独立企業間価格幅（ＡＬＰレンジ）といいます。

会計や税務の世界では通常、「正しい値」がピンポイントで決まりますが、移転価格税制の場合、ある程度の幅をもったＡＬＰレンジを求め、そのレンジ内に親子間取引が入っているかどうかという観点で検証します。

例えば、何かの電子部品の取引価格のＡＬＰレンジ（＝第三者間取引で成立している価格帯）が２０００円～３０００円であれば、親子会社間で同じ電子部品を販売するときの価格をその範囲に設定すれば、移転価格税制上の問題はないということになります。

もっとも実務においては個々の製品ごとの価格ではなく、親子間取引を製品群などのひとまとまりと考えた上で、その利益率を検証することが一般的です。

つまり親子間取引における利益率が、「○％～△％というＡＬＰレンジ内に入っているため移転価格税制上の問題はない」という説明をすることになります。

どこかに「正解」があってそれを見つけ出さなければならないと思うと難しく感じますが、「まあ妥当」といえる範囲で取引すればいい（というより、それしかできない）ということですから、もう少し気楽に構えていいのではないでしょうか。

移転価格リスクは常に残る

海外子会社との取引における「絶対的に正しい価格」は誰にもわからないのですから企業としては、「我々としては移転価格税制上の問題がない価格でグループ間取引を行っていると判断している」という主張をする以外にないことになります。

当然、強引な説明ではなく移転価格税制の内容に準拠した合理的な主張をすべきですが、それでもその主張を税務当局が認めるかどうかはわかりません。

海外子会社との取引内容は、それぞれの会社によって異なりますので、他社で通用したロジックがそのまま通用するとも限りません。

そのため、「移転価格税制上のリスクがあるのかないのか」と言われると、「常にある」という答えになります（移転価格リスクを一定期間ゼロにするＡＰＡという制度も一応ありますが、コストや時間がかかり過ぎますし、有効期間も短いので現在のところは大企業向きの制度といわざるを得ません）。

海外子会社と取引をする限り移転価格リスクは常に残ると知った上で、税務調査時にしっかりと自分たちの主張を行えるよう準備をしておきましょう。

調査官に移転価格関連のことで何かを言われたとしても、それを鵜呑みにしてはいけません。調査官の知識も人によってバラつきがありますし、親子間取引の実情を外部者である調査官が正しく把握できているとも限りません。

的外れなことを言っている可能性もあるのですから、まずは調査官の言うことをしっかり聞いて本当に海外子会社への所得移転が起きているかどうかを検証し、修正すべきであれば修正すべきですし、主張すべきことがあれば主張すればいいと思います。

3　移転価格税制自体は難しくない

第三者間で成立している似たような取引を見つけてきて比較する

移転価格税制は難しいという話を聞くことがありますが、私は移転価格税制が他の税制より特別難しいとは思いません。

確かに移転価格税制だけで使用される用語や考え方はあります。ですので、一定の勉強は必要ですが、それは他の税制や会計基準なども同じです。

説明のされ方が悪いだけで、理論的・技術的な点に関しては、移転価格税制は非常にシンプルな税制です。求められるスキルは、連結会計や連結納税のほうが高度だといえるでしょう。

移転価格税制は親子間の取引を独立企業間価格で行うことを求めるルールですが、親子間取引といっても業種業態によって内容は全く異なりますので、「独立企業間価格の算定式」のようなものを一律に定めることはできず、大枠の考え方が決められているだけです。

そしてその考え方の基本は、第三者間で成立している取引の中から親子間取引と類似するもの（比較対象取引）を探してきて比較するというものです。

そのような取引をどこから探してくるのかということですが、世界中の企業の財務データが収録された企業情報データベースの中から海外子会社（または日本本社）と類似する企業を探してきて、その企業の利益率（売上高総利益率や営業利益率）と海外子会社の利益率を比較するというパターンが一番多いです。

本来であれば、第三者間で成立している取引を見つけたいのですが、個別の取引についてそのような外部情報を入手することは通常困難ですので、海外子会社と似た企業（比較対象企業）を探してきて、その企業全体の利益率データを使用することになります。

比較対象企業は独立した企業の中から選ぶ必要がありますので、企業情報データベースに絞り込みをかける際には、どこかの企業の子会社は除外することが一般的です。

つまり、「海外子会社と似た独立系企業（比較対象企業）の利益率と海外子会社の利益率に大きな差はないので、親子間取引に移転価格税制上の問題はない」と説明するということです。

こう言われると、移転価格税制はそんなに難しいことをしているわけでもなさそうだという気がしてきたのではないでしょうか。

企業自ら比較対象企業の選定を行ったほうがいい

少々雑な言い方ですが、企業情報データベースなどから比較対象企業を探してきて比べているだけですので、高度な数学や統計学を使うといったことはありません。

高度な計算が不要ということは、一定の実務ノウハウを身に着ければ、専門家に頼らずとも企業自身で比較対象企業を選定することは十分可能ということです。

というより私は、比較対象企業の選定をはじめとする移転価格対応は企業が自ら行ったほうがより効果的だと思っています。

当然ながら外部の専門家より企業自身のほうが、海外子会社（あるいは日本本社）のビジネスの中身を深く理解しているからです。

海外子会社と似た企業を探すといっても世の中に同じ企業はありませんので、専門家が行おうと企業が行おうと税務当局が行おうと、どこまでいっても限界がある話です。

そうであれば、比較対象企業の一般的な選定プロセスを学習した上で、企業が自ら比較対象企業を選定するほうが、ビジネスについての理解が深い分、説得力が増すと思います。

税務調査で比較対象企業の選定理由を聞かれたときに回答するのは企業自身ですので、自分たちで比較対象企業の選定作業を行ったがより正確に答えることができるという点も軽視できません。

4　文書化は「what」や「how」ではなく、「why」が重要

ローカルファイルのフォーマットは厳格には決まっていない

冒頭でもお伝えしたとおり、親子間取引に移転価格税制上の問題があるかどうかを検証した文書のことをローカルファイルといいます。

ローカルファイルを作成する際の注意点として、ローカルファイルと確定申告書などの決算資料との違いを知っておきましょう。

確定申告書や決算書、有価証券報告書など経理部門から外部に提出される書類は、基本的にはフォーマットが決まっています。

そのため経理関係の人はローカルファイルについても、「テンプレートを埋めてつくる」という発想になってしまいがちです。

ですが、ローカルファイルは移転価格税制上の問題があるかどうかを検証した一連のロジックが重要であり、記載項目が厳格に決まっているわけではありません。

ローカルファイルのページ数は重要ではない

私は仕事がら、日本や海外のいろいろな会計事務所が作成したローカルファイルを読む機会があ

るのですが、わずか10ページの薄いものから200ページにおよぶ超大作までみたことがあります(当事務所の場合は概ね20ページ＋補足資料という分量です)。

製品の写真を掲載している場合もあればしていない場合もありますし、親会社と子会社の機能とリスクを分析した項目において、機能とリスクを一覧にまとめた表を用意することもあればしないこともあります。

何が言いたいのかというと、ローカルファイルは「何を書くのか（what)」、「どのように書くのか(how)」という形式面よりも、「そのように書いたのはなぜか（why）」という理由を理解しておくことが重要だということです。

理解のために具体例を1つ出しますと、ローカルファイルの「機能リスク分析」という項目に、「海外子会社のほうが親会社より機能とリスクが限定的であるため、海外子会社サイドの利益率を検証することにした」と書かれているとします。

このとき、「機能とリスクが限定的なほうを検証するのはなぜか」という理由（why）を理解しておくことが重要であり、機能とリスクを分析した結果を一覧にまとめた表をつけるかどうかといった形式面はさして重要ではないということです。

ちなみに前記の答えは次の通りです。

「複雑な機能を果たし大きなリスクを負っている企業はオンリーワンというべき存在であり、十分な比較可能性をもつ比較対象企業を見つけることは簡単ではない。一方、比較的単純な製造業務等を行っているオーソドックスな企業であれば、企業情報データベース等から一定の比較可能性を有する企業を見つけることができる可能性が高いから」

ローカルファイルの作成を専門家に外注すると丸投げしがちになり、「why」についての理解が不十分になるとは、まさにこのことです。

完成したローカルファイルの報告会に参加した程度では、1つひとつの項目についての「why」を理解することは難しいのです。

自らローカルファイルを作成し、その過程で試行錯誤をしていれば、税務当局に何かを聞かれても「それについては我々も検討しました」と、自信をもって回答できるというものです。

翌年以降の年度更新を考えた上で始めること

近年は国税庁からも「ローカルファイル例示集」や「移転価格ガイドブック」という形で情報提供が行われており、そこにはローカルファイルのサンプルが記載されています。

「移転価格ガイドブック」には、「納税者が自らローカルファイルを作成する際の参考資料（81ページ）」と書かれていますので、国も企業が自らローカルファイルを作成・更新できるようになることを望んでいるのでしょう。

自分たちでローカルファイルを作成するに際して、真っ白な紙からスタートするよりは公表されているサンプルをテンプレート的に使うほうが、事務作業が効率化されることは間違いありません。

ですが、移転価格税制の基本的な考え方を理解しないまま、形式的に項目を埋めればいいという発想はあまりに安易であり、リスクが高いものだと考えておくべきです。

形式的に埋めていくのではなく、1つひとつの項目について、「なぜそう書くのか」という理由を理解するよう努めましょう。

「そこにフェンスがある理由がわかるまで、そのフェンスを撤去してはならない」という言葉を聞いたことがありますが、それはローカルファイルも同じです。

なぜそのように書いたのかという理由をわかっていなければ、海外子会社との取引に変化が生じたときに、ローカルファイルの該当箇所を修正していいのかどうかを判断できません。

ローカルファイルをはじめて作成する場合は、とにかく完成させることを目標にしてしまいがちです。

しかしながら、ローカルファイルは毎年の更新が必要なものですので、翌年以降の更新のことも考慮にいれた上で文書化を始めましょう。

5　移転価格上の問題がある場合は取引価格の是正も必要

決算が終わってからローカルファイルの作成を外注する実務慣行は誤り

ローカルファイルは「why」が重要とお伝えしましたが、それ以上に重要なことがあります。

それは親子間の取引価格自体に問題がある場合は是正することも必要だということです。誰も公言しませんが、親子間の取引価格自体に問題があるにも関わらず、移転価格税制上のテクニックを使って無理やり「問題なし」と結論づけているローカルファイルが相当数存在していることは間違いありません。

これはローカルファイルを作成したコンサルタントが悪いのではなく、企業がローカルファイルの作成を決算終了後に依頼していることが大きな原因です。

決算が終わった後になってから、明示的にせよ暗示的にせよ移転価格上の問題なしという結論ありきのローカルファイルをつくるよう依頼されるのですから、コンサルタントとしては、あの手この手のテクニックを使ってローカルファイル上だけで解決する以外に方法がないのです（どうしても説明がつかない場合は、結論を書かない場合もあるようです）。

企業としては確定申告書と同じような感覚でローカルファイルの作成を依頼しているのかもしれませんが、確定申告書とローカルファイルとは性質が全く異なります。

確定申告は集計作業ですので、決算後に作成するものですが、ローカルファイルは期中の親子間取引に移転価格税制上の問題があるかどうかを分析した資料です。

過去にさかのぼって取引価格を修正することはできないのですから、期中は移転価格税制について何の注意も払わずに、決算が終わった後になってから思い出したかのようにローカルファイルの作成を依頼しても遅いのです。

移転価格対応の本質

移転価格税制は、租税特別措置法という法人税法の特別法を根拠とする法律です。法律ですから企業は、移転価格税制上の問題がない価格で海外子会社と取引しなければなりません。

親子間の取引価格の決め方に問題がある場合は、そこを是正しない限り、次年度以降も違法な取引を続けることになりかねません。

移転価格対応の本質は、グループ間の取引価格を移転価格税制上の問題がないといえる範囲で行うことであり、ローカルファイルをつくることは二次的な作業に過ぎないということです。

これまでも親子間の取引価格を何らかの方法で決めてきたはずですが、本格的に移転価格対応を始めるのであれば、ローカルファイルをつくることよりも、親子間の取引価格の設定方針（移転価格ポリシー）を構築することのほうがはるかに重要だということを認識しておきましょう。

移転価格対応は、「テンプレートに当てはめてローカルファイルをつくって終わり」というような経理部門だけで完結する話ではないということを強調しておきます。

移転価格対応の最大のカベはグループ内の利害対立

移転価格対応を行う過程で親子間の取引価格の見直しが必要になることもあるということですが、では経理部長が営業部門や海外子会社の責任者に、「移転価格税制上の問題があるから、来月から販売価格を10％上げてくれ」といったところで受け入れられるでしょうか。

企業には様々な部署があり、それぞれが数字責任を負っています。移転価格税制上は正しいことであったとしても、取引価格を変更すると親か子のどちらかの数字が悪くなりますので、損をする側からの反発が予想されます。

いわゆるセクショナリズムの問題ですが、私も商社に在籍しているときに海外子会社サイドから、「本社が勝手につくったルールを押しつけられても困る」と言われて難儀したことがあります。

正しいことだからといって通るとは限らないということです。

移転価格対応における難しい部分は技術的なことというよりは、このようなグループ内の利害調整の面だと思います。

親子間の取引価格を変更するということは、関連各部門の理解が必要な一大プロジェクトです。

経理処理や確定申告書の作成など、経理部内だけで完結する問題であれば自分たちで「正しい会計処理」「正しい申告書の記入」を行えばいいですが、移転価格対応はそうはいきません。

移転価格税制が他の税制と大きく違うところはこのあたりだと思います。関係する部門が多岐にわたり、本業であるビジネスそのものに大きく係わる問題だからです。

移転価格税制には、単なる「税制」という枠に収まらない面があるといえるでしょう。

関係各部門の理解を得ることが大事

社内の利害調整は難しい問題ですが、私は親子間の取引価格の是正という選択肢がなければ移転価格対応は失敗すると思っていますので、その点について理解がある企業からのご依頼だけを受けるようにしています。

実際、ご依頼を受けてから取引価格の見直しを行ったケースは多いです。棚卸資産の取引価格だけでなく、ロイヤリティー料率や親子ローンの利率、海外子会社に出張支援を行う場合の1日当たりの人件費（技術指導料）を変更したこともあります。

これは私に発言権があったのではなく、企業が最初から社内の関係者の理解を得て、移転価格税制に全社的に対応していこうというスタンスだから実現したことです。

コンサルティングの過程においては、親子間取引に関係する方たちを集めた研修会を開催し、経理部門以外の方への説明にも力を入れるようにしています。他部門や海外子会社から反発が起きる理由は、単なる知識不足である可能性が高いからです。

移転価格税制についての知識が何もなければ自部門に不利益をもたらす価格変更に反発するのも無理はありません。ですので、研修会や勉強会などの啓蒙活動によって、関係者の理解を得ようという作戦です。

これから移転価格税制に対応していこうと考えている企業の方は、経理部門だけで何とかしようという発想は早く捨てて、他部署やグループ企業の方に「あなたたちの仕事でもあるんですよ」ということをわかってもらう努力をしましょう。

自分たちにも関係があることだとわかれば、他部署の方もきっと協力してくれるはずです。

移転価格税制に対応できる会社を目指そう

本章のまとめですが、やはり移転価格税制には自社のビジネスのことを一番よくわかっている企業自身で対応することがベストだと思います。

外部の専門家は効率的に移転価格対応を進めるためのアドバイザーとして活用するものに過ぎず、最終的には自分たちで対応できるようになるんだという気構えをもつことが重要です。

単にローカルファイルという文書をつくればいいという話ではなく、親子間取引に関わる各者が移転価格税制についての基本的知識を得た上で、親子間の取引価格に移転価格税制上の問題がないかどうかを継続的にモニタリングしなければなりません。

親子間の取引価格の決め方に一般的な正解はないのですから、場合によっては日本や海外の税務当局と見解の相違が起きることもあるでしょう。立場が違うのですから、ある意味当然です。

しかしそのとき、企業に移転価格税制についての知見があれば、どの部分で見解の相違が起きたのかを具体的に把握した上で次につながる改善を行うことができます。一方、そのような知見がなければ、追徴された理由がよくわからないままになってしまうかもしれません。

以前は「移転価格税制は特別」というイメージがありましたが、中小企業にも指摘が行われる時代になりましたし、海外でもごく普通に移転価格課税が行われています。今後、移転価格税制に関するルールや税務調査が、厳しくなることはあっても甘くなることはないと思います。海外でビジネスを続けていくのであれば、移転価格税制にしっかりと対応できている会社を目指しましょう。

1章

移転価格税制への対応は不可避の時代

1　海外進出企業の数が飛躍的に増えている

国際課税の2つの目的

日系企業の海外進出数は増加の一途をたどっています。

経済産業省が公表している「海外事業活動基本調査」によると、日系企業の現地法人の数は平成16年の時点で約1万5000社でしたが、現時点では約3万社まで増加しています。

大企業はもっと以前から海外に進出していますので、この20年ほどで海外に進出した企業のほとんどは中堅から中小の企業だと思われます。

現地法人の数が増えるということは国際間取引を行う企業が増えるということであり、そこには税金の問題がからんできます。

国際税務には国内税務には存在しないルールがいくつか存在します。そのようなルールが必要になる理由は主として次の2つです。

① 国際間の二重課税を排除する必要がある

② 国際的な租税回避行為を防止する必要がある

移転価格税制を理解するための前提知識といえることですので、それぞれについて簡単にご説明します。

①　国際間の二重課税を排除する必要がある

片方の国で既に課税されているにも関わらず、もう一方の国でも課税されてしまうと二重課税になってしまうので、それを防止する必要があります。

このような二重課税排除目的のルールの1つが、外国子会社配当益金不算入制度と呼ばれるものです。

海外子会社が所在する国で法人税を払った後のお金で配当しているにも関わらず、配当を受け取った日本サイドでも法人税が課税されてしまうと、法人税が二重にかかることになります。

そこで一定の条件を満たす外国子会社からの配当については、その大部分について日本サイドでは課税しなくていいことになっています。

二重課税を排除するためのルールには他にも、外国税額控除制度があります。

これは外国からの利子や配当から法人税が源泉徴収された場合等において、日本の法人税申告の際に、既に納付した法人税を控除できるというルールです。

本書の目的ではありませんので、説明は最小限に留めますが、国際的な二重課税が起きると企業の海外進出が阻害されるため、このような制度があるということはぜひ知っておいてください。

②　国際的な租税回避行為を防止する必要がある

グローバル化が進んでくると各国の税制の穴をつくような方法で、不当に税額を少なくしようとする企業があらわれてきます。

そのような不当な租税回避行為を防止することが国際課税のもう1つの目的です。租税回避行為防止目的のルールの1つが外国子会社合算税制（タックスヘイブン対策税制）といわれるものです。

これは事業実態のない子会社を海外に設立し、その子会社に利益（所得）を集中させることによって、日本の法人税負担を不当に減少させようとする行為を防止するためのルールです。

特に海外子会社がシンガポールや香港などの低税率国にある場合、調査官は税負担を減らすために実態のない会社をつくったのではないかという疑いを持つ可能性が高くなります。

外国子会社合算税制の適用を受けると、その海外子会社の所得を日本本社の所得と合算して、日本で法人税を納めることになります。

移転価格税制は「租税回避防止目的」のルールの1つ

そして本書のテーマである移転価格税制も、このような租税回避防止目的で設けられた税制です。資本関係のある海外子会社との取引価格を操作することによって、日本に入るべき税収が国外に流出することを防止するためのルールです。

内容については第2章以降でお伝えしますが、移転価格税制が国際課税全体の枠組みの中でこのような位置づけにあるということをまずはご理解ください。

このように海外進出企業は、「国際間の二重課税の排除」と「国際的な租税回避の防止」という2つの目的のための設けられた国際課税の各ルールを守って、適切に申告・納税することが求められています。

2　税務当局間での情報交換の強化

海外取引の税務調査に不慣れな企業が多い

国際課税への対応が急務であるのは企業サイドだけではありません。

税務当局サイドとしては海外進出企業が国際課税のルールに従って適切に申告・納税していることをチェックし、税収を確保しなければなりません。

もちろん国内取引についても税務調査は行われますが、国内で何十年もビジネスを行っている企業は国内税務に関する知見を蓄積していますので、税務調査時に国内取引から多額の指摘事項が見つかることは少なくなってくるはずです。

このような中、調査官にとって「狙い目」といえる分野が、移転価格税制を含む国際課税の分野です。

国際取引に関する税務調査は、1つの指摘事項が見つかったときの金額が大きくなる傾向があります。従業員数百名の規模であっても、数千万円から1億円以上の追徴課税に至ることもあります。

国内取引と比べ国際取引に関しては企業の税務調査対策が不十分であることが多く、特に直近の数年間で海外ビジネスが急拡大した企業に対して本腰を入れた海外取引の調査がはじめて行われた場合は、ノーガードの部分から多くの指摘事項が見つかることがあるようです。

海外ビジネスを拡大する企業は増える一方ですので、海外取引中心の税務調査が今後も増えていくことは間違いありません。

急速に高まる税務当局の情報収集力

国際間取引の重要性が高まる中、税務当局は国際課税に関する調査を強化するための取り組みを急速に拡大しています。

その1つが税務当局間での情報交換の強化です。

企業はグループ会社同士のネットワークを通じて情報交換を密に行っているのに対し、各国の税務当局は割と孤立していて、企業との情報力に格差があるということで、それを埋めようとしているのです。

これまでも租税条約に基づく情報交換などは行われてきましたが、それに加える形で近年、次の新たな情報交換制度がスタートしました。

① 国別報告書（ＣＢＣレポート）
② マスターファイル

③　非居住者の金融口座情報の自動交換

①　国別報告書（CBCレポート）

国別報告書とは多国籍企業に対し、グループ内のそれぞれの国・地域における売上、従業員数、納税額などを決まったフォーマットに入力して報告させるもので、報告された国別報告書は税務当局間で自動交換されることになっています。

日本の基準では連結総収入が1000億円以上の企業に作成・提出が義務化されました。他国の金額基準も概ね同規模です。

国別報告書の自動交換が始まったことによって、各国税務当局は世界の大企業がどの国で売上（収入）を上げて、それぞれの国にどの程度納税しているのかを一目で確認できるようになりました。

②　マスターファイル

マスターファイルとは、企業グループ全体の事業概況を記載したものであり、日本においては国別報告書と同様に、連結総収入が1000億円以上の多国籍企業に提出が義務化されたものです。

海外子会社サイドの税務当局は、海外子会社を通じて日本本社が作成したマスターファイルを提出させることができるとされており、これも税務当局間の情報交換の一貫といえます。

連結総収入が1000億円以上の企業グループは日本に1000社～1500社程度といわれて

いますので、多くの日系企業は自社のためにマスターファイルを作成する必要はありません。

ですが、インドネシアやベトナムなどのアジア各国において、売上数億円規模の会社にマスターファイルの作成を義務化する動きがあります。

つまり日本本社で作成義務はなくとも、海外子会社サイドでマスターファイルが必要になるケースが多発しているということです。

マスターファイルは企業グループの概要が簡潔にわかる便利な資料ですので、アジア各国の税務当局もその情報が欲しいのでしょう。

③　非居住者の金融口座情報の自動交換

さらに2017年から、非居住者が保有する銀行口座の情報を税務当局間で交換する制度も始まりました。

自国の金融機関に非居住者の口座情報（氏名、住所、残高など）を報告させ、その口座情報を税務当局同士で自動交換する仕組みです。

海外の銀行口座を使った脱税等を発見することが目的ですが、非常に壮大な取り組みであり、租税回避行為を阻止しようとする各国税務当局の本気度が伝わってきます。

日本の税務調査においても、「社長は中国の○○銀行に口座を持っていますよね。これは中国子会社からの役員報酬ですか？　日本の所得と合算して申告していますか？」というように申告モレを見つけるための強力な武器として使われ始めています。

3　もはや大企業向けの税制ではない

小型化する移転価格調査

国際課税の枠組み全体に関する現状把握はここまでにしまして、ここからは移転価格税制に焦点を当てていきます。

2004年から2007年頃のことですが、大企業に対して数十億円から数百億円の移転価格課税が行われたという報道が多く行われた時期があったことを覚えているでしょうか。

そのため移転価格税制は大企業だけが関係する税制というイメージがあったと思います（少なくとも私はそう思っていました）。

ですが、企業サイドも何度も追徴されるわけにはいきませんので、その後はしっかりと対策を固め、近年は裁判で国が敗訴する例も出ています。

そのため移転価格調査の対象が、移転価格対策が不十分な中堅企業にシフトしてきています。

ここ数年の移転価格課税における平均追徴額は数千万円から3億円程度です。

平均値というものは数十億、数百億という案件が数件あれば大きく上がりますので、移転価格課税における追徴税額のボリュームゾーンは1億円以下になっていると予想されます。

移転価格調査は最長7年間さかのぼることができますので、海外子会社との取引が年間数億円もあれば、1億円以上の追徴となる可能性は十分あります。

税務署所管企業も油断はできない

会社の規模という点でいえば、資本金1億円未満の税務署所管企業も油断はできない時代になりました。

ご存知のとおり日本では資本金が1億円以上であれば国税局の管轄であり、1億円未満の企業は原則として税務署所管となります。

そして移転価格課税といえば、規模の大きい国税局管轄の企業に対して行われるものという認識が一般的だと思います。

ですが私は、資本金1億円未満の税務署所管企業の方から、親子間貿易を通じて海外子会社に所得が移転していると指摘されたという相談を受けたことがあります。

たまたま資本金が小さいだけで、海外子会社と多額の取引を行っていることもあるのですから、税務署管轄だからといって油断していると痛い目に合うかもしれません。

国税庁の組織再編による影響

また移転価格調査を行う国税庁の組織体制も変化しています。2017年には東京国税局が地方局をサポートすることによる全国均質の調査体制への移行が宣言されました。当然ながら移転価格税制という法律は大都市圏の企業だけに適用されるものではありませんので、今後は地方企業も移転価格税制への十分な備えが必要になってくるでしょう。

さらに国税庁は２０２０年に移転価格調査を専門に行う部署を廃止し、他の国際課税の分野と一緒に取り扱う「国際調査課」に組織再編しました。

これは専門部署による移転価格税制の「特別扱い」が終了したということですので、今後はより機動的に移転価格調査が行われる可能性があります。

海外子会社サイドも要注意

移転価格税制は日本独自のルールではなく、世界中で採用されている国際ルールです。国際組織であるＯＥＣＤが考えた枠組みをベースに、各国が自国の税制改正を行ってきたという経緯がありますので、海外子会社がある国にも日本と同じような移転価格税制が存在します。

私はアジアを中心に海外の会計事務所をよく訪問するのですが、各国各様とはいえ、近年は移転価格税制について厳しい指摘が行われているという話を聞くことがあります。

移転価格税制は国と国の税金の取り合いという一面があります。

親会社と子会社のどちらかに利益が片寄っている場合は、損をしている（と感じる）側の当局が不満を持つ可能性が高くなります。

両方の国が完全に納得するということはないにせよ、日本サイドだけでなく海外子会社サイドの移転価格リスクについても気を配っておくことが大切です。

4　移転価格税制は国際税務の中でもまた異色

国際課税を苦手とする税理士が多い

このように移転価格税制への対応の必要性は高まるばかりですが、税の専門家である税理士の多くは移転価格税制を含む国際税務を苦手としています。

これは税理士事務所側の立場からみれば無理もないことです。海外に進出している企業が増えているとはいえ、割合的にはまだわずかです。

日本に2～300万社ほどある法人のうち、海外に進出しているのは1％程度です。

多くの税理士事務所は個人事業であり、マンパワーも限られていますので、わずかな海外進出企業のためだけに国際税務に関する知識を深めることは現実的ではないということもあるはずです。

国際税務についてアドバイスを受けられる専門家が身近にいないのであれば、自分たちで勉強してノウハウを蓄積していく以外にありません。

かくいう私も個人事業ですが、私の場合は国内税務は行わず、移転価格税制を含む国際税務に関するセカンドオピニオンという立場に特化しています。

これは医者でいうところの専門医のような立ち位置です。近くの医者で診療を受け、専門的な治療が必要と判断した場合は専門医を紹介されますが、それと同じです。

税務と一口にいっても範囲は非常に広いです。海外に進出する規模になってくると多様な税務問題が発生しますので、税理士も専門に応じて使い分ける必要がでてくるでしょう。

移転価格対応は関連する部署が多岐にわたる

国際税務に対応している税理士事務所は少ないということですが、移転価格税制は国際税務の中でもさらに異色です。

外国税額控除などの他の国際税務の分野については、確定申告書の書き方や必要な添付資料について調べれば、経理部門だけでも何とか対応できるはずです。

一方、移転価格税制は海外子会社との取引価格自体に税務リスクが潜んでいるということですので、取引額の妥当性を証明するためのエビデンスを用意するにせよ、親子間の取引価格を見直すにせよ、経理部門以外の多くの部署の協力が必要となります。

確定申告書という書面上の作業だけで完結しないところが外国税額控除制度などと大きく異なる点です。

私も顧問先を訪問した際には、経理部門だけでなく、経営企画部、営業部、製造部、人事部、海外事業部、海外子会社の社長、本社の役員など多様な部署の方とお会いします。これは移転価格対応がグループ全社に関わる課題であることの証拠です。

法人税や会計の知識より本業への理解

移転価格税制は法人税法の特別法とされてはいますが、他の税制や会計基準とはかなり独立した別個の分野です。ですので移転価格税制に対応するにあたっては、法人税の他の分野や会計基準に関する知識はそれほど必要ではありません。まったく新しい知識を学ぶのですから、経理部門の人もそうでない人もスタート地点はある意味同じといえます。

税務や会計の知識より大事なことは、自社グループの本業に対する理解です。企業というものは1社1社異なるものであり、親子間取引にもそれぞれの事情や経緯があります。身内びいきではなく独立企業間でも成立し得る経済合理性がある取引だと説明する際の適任者は、外部専門家よりもその企業で実務経験を積んだ人だと思います。これまでの実務経験に移転価格税制という新しい知識をオンすることによって、自社にとって最適な移転価格対応を導入しましょう。

上述の通り、移転価格税制はグループ全社に関わる問題ですので、移転価格プロジェクトは部門横断的になります。これまで知らなかった他部署の事情がわかるなど、おもしろい面もあるはずですので、ぜひ前向きに取り組んで欲しいです。

2章

移転価格税制とは

1　「身内びいき」を防止するための税制

では、本書のテーマである移転価格税制の中身に入っていきます。

本書は移転価格税制自体について詳細に解説することが目的ではなく、移転価格対応に失敗しないために最低限知っておくべき知識についてお伝えする入門書ですので、厳密な表現よりもわかりやすさ優先で説明したいと思います。

所得が減ったときにだけ適用される税制

移転価格税制は、法人税法の特別法である租税特別措置法第66条の4を根拠条文とする法律です。せっかくですので原文をみてみましょう（図表1参照）。

これをわかりやすく言い換えると、次のような意味になります。

「国外関連者との取引価格が独立企業間価格と異なっていることにより日本本社の所得が少なくなっている場合は、実際の取引価格ではなく独立企業間価格で取引したものとみなして法人税額の計算を行う」

つまり移転価格税制は、国外関連者と独立企業間価格で取引しなかったことによって損をした場合にだけ適用される税制であり、得をした場合には適用されないということです。

〔図表１　租税特別措置法第66条の４第１項(かっこ内は省略)〕

法人が、昭和六十一年四月一日以後に開始する各事業年度において、当該法人に係る国外関連者の総数又は総額の百分の五十以上の数又は金額の株式又は出資を直接又は間接に保有する関係その他の政令で定める特殊の関係との間で資産の販売、資産の購入、役務の提供その他の取引を行つた場合に、当該取引につき、当該法人が当該国外関連者から支払を受ける対価の額が独立企業間価格に満たないとき、又は当該法人が当該国外関連者に支払う対価の額が独立企業間価格を超えるときは、当該法人の当該事業年度の所得に係る同法その他法人税に関する法令の規定の適用については、当該国外関連取引は、独立企業間価格で行われたものとみなす。

そのため国外関連者に独立企業間価格を超える価格で売ったとしても、その分を確定申告時に減算調整することは認められません。

「身内びいき」によって儲けたのであれば、それは結構なことなので、その分たくさん法人税を払ってくださいということです。

国外関連者の定義

先ほどから登場している国外関連者とは、支配従属関係のある外国法人のことです。

移転価格税制は国外関連者との取引に対してのみ適用されますので、次に示す形式基準と実質基準によって、グループ企業の中から国外関連者に該当する企業を特定する必要があります。

まずは形式基準で判定

形式基準とは50％以上の出資関係があるかどうか

という基準です。

日本法人であるA社が外国法人であるB社に50%以上出資しているのであれば、B社は国外関連者に該当します。

さらにB社が外国法人C社に50%以上出資しているのであれば、C社もA社の国外関連者に該当します。

移転価格税制は身内びいきを防止するためのルールですので、A社の身内であるB社から50%以上出資を受けているC社も身内と判定します。

連結会計における連結子会社（海外）とは範囲が少し異なりますので、注意しましょう。

親会社、兄弟会社、合弁設立子会社も該当

外国法人D社が日本法人E社に50%以上出資している場合、D社はE社の国外関連者に該当します。親会社も身内ですので、身内との取引は移転価格税制の適用対象になるということです。

さらにD社が外国法人F社に50%以上出資しているのであれば、兄弟会社であるF社もE社の国外関連者に該当します。

また形式基準は出資比率50%「以上」ですので、ちょうど50%出資の合弁設立企業も国外関連者に該当します。合弁設立子会社との取引の場合、相手方出資者との関係もありますので、取引価格を自由にコントロールすることはできないかもしれません。

税務調査官が守らなければならないルールである移転価格事務運営要領にも、共同出資子会社との取引においては独立企業原則を考慮した交渉が行われる場合があることを考慮しなさいと書かれています（移転価格事務運営要領3－2－（3）ロ）。

ですが同時に、共同出資子会社との取引価格決定の際に厳しい価格交渉が行われたという事実があるだけでは非関連者間と同様の条件で取引したという根拠にはならないとも書かれています。

合弁設立という点に留意はするが、最終的には実態で判断されるということです。

実質基準もある

形式基準は出資比率が50％以上かどうかということですが、形式基準だけだと出資比率を49％にして、移転価格税制の適用を逃れようとする企業があらわれるかもしれません。

そこで、出資比率が50％未満であっても実質的支配関係のある外国法人は国外関連者の範囲に含めることとされています。

主な実質基準は次の通りです。

・役員の派遣

外国法人の代表者または役員の過半数を特定の日本法人から送り込んでいる場合、その外国法人は日本法人の国外関連者に該当します。

・取引依存関係

外国法人の売上のほとんどが特定の日本法人向けであるような取引依存関係がある場合、その外国法人は日本法人の国外関連者に該当します。

・資金依存関係

外国法人の事業資金のほとんどを、特定の日本法人からの借り入れや債務保証でまかなっている場合、その外国法人は日本法人の国外関連者に該当します。

租税回避の意図は問わない

形式基準と実質基準によって国外関連者と判定された企業との取引については、取引価格を自由にコントロールできる可能性が高いので、移転価格税制というルールをつくって独立第三者間と同様の条件で取引することを求めています。

国外関連者との取引は確定申告書の別表17（4）に記載しますので、新規設立や持株比率の変更などをキャッチアップしておく必要があります。

別表17（4）には国外関連者の損益計算書や利益剰余金額、棚卸資産取引の金額などを記載しますので、調査官が国外関連者に所得移転が起きているかどうかの「あたり」をつけるためには非常に便利な資料です。

また移転価格税制を適用する際は、租税回避や脱税の意図の有無は問わないことになっています。当然といえますが、「海外子会社に所得移転をするつもりはなかった」という抗弁は通じません。

租税回避の意図があってもなくても、結果として独立企業間価格と異なる価格で取引したことにより日本本社の利益が少なくなったのであれば、独立企業間価格との差額を所得に加算しなければなりません。

関連者の範囲は国によって異なる

日本の移転価格税制における国外関連者の定義について説明しましたが、この「関連者」の定義が国によって異なる点には注意が必要です。

身内びいきを防止するという趣旨は共通ですが、どこまでを身内とするかは、それぞれの国がそれぞれに決めています。

日本では出資比率50％以上で国外関連者に該当することになりますが、中国、インドネシア、ドイツ、ベトナムなどでは25％以上の出資関係があれば関連者に該当します。

一方、アメリカなど出資比率についての数値基準は特に設けず、実質的な支配関係だけで関連者を判定する国もあります。

日本サイドからみると移転価格税制の適用対象ではない場合でも、海外サイドからみると適用対象になることがあり得ることになります。

また日本では関連者は外国法人のみに限定されますが、国内のグループ会社との取引について移転価格税制を適用する国もあります。

国外のグループ会社間ほど厳格には適用はされていないようですが、同国内のグループ会社であっても別法人ですので、法人ごとに適切な金額を納税すべきという考え方を採用していると思われます。

また移転価格調査の遡及可能期間も国によって異なります。日本の場合は7年間ですが、中国では10年間、アメリカでは3年間、インドネシアでは5年間遡及できることになっています。

移転価格税制の仕組みは世界で概ね同じですが、部分的に違うところがあり、そのルールもしばしば変わりますので、最新情報をキャッチアップする努力は不可欠といえるでしょう。

2　移転価格税制に対応しないことのリスク

移転価格対応はコンプライアンスの一環ともいえる

移転価格税制は国外関連者との取引を独立企業間価格で行うことを求めているということですが、その説明は口頭ではなく文書で行わなければなりません。

この文書がこれまでも出てきたローカルファイルです。ローカルファイルは調査官から要請があった場合は、指定された期限内に提出しなければなりません。

期限内に提出できなかった場合、税務当局は独立企業間価格を独自に推定した上で法人税の金額を計算して追徴課税を行うことができます（これを推定課税といいます）。

推定課税を受けた場合は非常に大きな追徴税額となることが多く、さらに上場企業の場合は「○○株式会社は東京国税局の税務調査において、中国子会社との取引において○億円の所得移転の認定を受け、△億円を追徴納付した」などと報道される可能性もあります。

ある銀行員が、「移転価格はコンプライアンスの問題になるんですよねぇ・・」と言っていましたので、銀行も移転価格税制への対応が未整備になっていることをプラスには評価しないようです。

企業も海外に進出する段階になると、コンプライアンスが強く求められます。追徴課税リスクという金銭面だけでなく法令順守という視点からも、移転価格税制にしっかり対応していくことは重要だといえるでしょう。

推定課税の怖ろしさ

ローカルファイルを期限までに提出できなかった場合、あるいは提出していてもその内容が不正確である場合、当局は独自に独立企業間価格を推定して課税することができます。

その方法ですが、税務当局も親子間取引が行われるあらゆる商材の独立企業間価格を把握しているわけではありません。

実務においては、企業情報データベースから国外関連者の類似企業（比較対象企業）を何社かピックアップし、その平均営業利益率と国外関連者の実際の営業利益率の差分について追徴課税を行うことが一般的です。

国外関連者の実際の営業利益率が12％で、国外関連者の比較対象企業の平均営業利益率が4％の場合、「12％－4％＝8％×国外関連者の売上高」が国外関連者への所得移転額となります。所得移転額とは独立企業間価格との差額であり、親子間取引に中にそれだけの「身内びいき」があったと認定されたということです。

選出された比較対象企業と国外関連者との間に類似性などないという主張もあるでしょうから、このような大雑把な計算で多額の追徴を受ける企業としては納得できない部分も大きいでしょう。ですが、税務当局としては海外への所得移転を放置することはできませんので、最終手段としてこのような方法が認められています。

海外の税務当局にも推定課税を行う権限がある

親子間取引を通じて自国から他国へ所得が移転しているという主張は、国外関連者がある国の税務当局も同じです。

国外関連者が赤字で法人税を納めておらず、かつ、日本本社と結構な額の取引を行っているのであれば、海外の税務当局は日本本社の搾取を疑うかもしれません。

国外関連者が逆えないことをいいことに、日本本社に利益が集まるような価格で親子間取引を行っている可能性を考えるという意味です。

そして国外関連者に対しローカルファイルの提出を求め、提出がない場合や、内容に不備がある（と主張する）場合は推定課税を行うことができます。

すなわち、日本の場合と同じように企業情報データベースから国外関連者の比較対象企業を何社か選定して、その平均営業利益率が4％であれば、4％の営業利益があったものとして追徴するということです。

赤字であれば法人税はかからないのが常識ですが、移転価格税制の場合は赤字だと目立って、かえって追徴リスクが高くなるという常識外なことが起こります。

数年分さかのぼって追徴されることが通常であり、法人税本税だけでなく高額の延滞税や加算税が上乗せされる国もありますので、国外関連者の売上規模が小さいからといって追徴税額が小さいとは限りません。

まさに国と国の税金の取り合いであり、両方の国をにらみながら舵取りするバランス感覚が求められる問題です。

ローカルファイルの作成期限と提出期限

ここで日本の移転価格税制におけるローカルファイルの作成期限と提出期限を確認しておきます。

日本のルールではまず、国外関連者との取引を同時文書化対象取引と同時文書化免除取引に区別します。

① 同時文書化対象取引⇒国外関連者との有形資産取引が年間50億円以上または無形資産取引が年間3億円以上

② 同時文書化免除取引⇒国外関連者との取引額が上記未満の取引

同時文書化対象取引を行った場合は、ローカルファイルを確定申告期限までに作成し、調査官から要請があった場合は、45日以内の調査官が指定する日までに提出しなければなりません。

同時文書化免除取引の場合、ローカルファイルの作成期限はありませんが、調査官から要請があった場合は、60日以内の調査官が指定する日までに提出しなければなりません。

同時文書化とは、ローカルファイルを確定申告書と同時に作成するという意味です。

確定申告期限は毎年来るものですので、このルールからもローカルファイルが毎年更新していく文書であることがわかります。1年限りでなく次年度以降の更新のことも考慮した上で文書化を始める必要があります。

この50億円、3億円という金額のカウントの仕方ですが、特定の国外関連者への販売額が40億円、仕入額が15億円の場合は相殺せずに合計します（このケースでは55億円）。

また親子間で金銭の貸付を行っている場合は、貸付元本そのものは含まずに利息額だけを集計します。

まずは、国外関連者との年間取引額が、この金額基準を超えているかどうかを確認しましょう。

移転価格税制に適用免除基準はない

同時文書化対象取引を行っている企業は日本に2000社程度だと思いますので、ほとんどの企業は同時文書化免除取引を行っていることになります。

同時文書化免除取引の場合であっても、調査官からの要請があった場合は60日以内の指定された日までに提出しなければならず、期限内に提出できなかった場合は、比較対象企業の利益率等を用いた推定課税を免れることができません。

つまり、50億円、3億円という金額は同時文書化義務の基準であって、移転価格税制の適用免除基準ではないということです。

「うちは海外子会社と50億円も取引していないので、ローカルファイルは不要なんですけどね」というご相談をいただくことがありますが、移転価格税制に適用免除点はありません。

これは極端な例で考えるとわかりやすいです。国外関連者に製品を販売している場合において、独立企業間価格であれば3億円相当の製品を1億円で販売したのであれば、2億円もの所得移転が起きていることになります。

このケースでは親子間の取引額が1億円しかありませんが、だからといって移転価格税制が適用免除になるはずがありません。

国外関連者との取引が1円でもあれば、移転価格税制の適用対象となるということであり、ローカルファイルをつくって対応するかどうかは結局のところ、国外関連者との取引額や国外関連者の利益率、作成に要するコスト等を考慮して各社で判断することになります。

監査法人から提出を求められることがある

少し話はそれますが、税務当局ではなく監査法人からローカルファイルの提出を求められたという話を聞くことがあります。

日本だけではなくアジアや欧米の監査法人からも要求されているのですが、監査法人は決算書が会計基準に準拠しているかどうかをチェックすることが仕事ですので、追徴課税を課す権限は有していません。

これには2つの可能性があると思います。

1つは文書化義務基準を守っているかどうかの確認です。ローカルファイルの作成義務基準は各国がそれぞれに定めています。法律で作成が義務づけられた文書をきちんとつくっているかどうかという法令順守の観点です。

もう1つは決算監査のエビデンスにするためです。移転価格課税による追徴リスクがあると、決算書に負債として計上、あるいは注記による開示が必要な場合があります。ローカルファイルをその判断材料として使うということです。

不正確な内容では提出したことにならない

ここで重要な注意点をお伝えします。

推定課税を避けるためにはローカルファイルを期限までに提出しなければならないとお伝えしました。ですので、とにかくローカルファイルという書類があればいいと考える方がいるかもしれませんが、内容が事実に基づいた適切なものでなければ税務当局はローカルファイルを提出したとは認めません。

つまり依然として推定課税を受けるリスクが残ることになります。

言われてみれば当然のことですが、初めて移転価格対応を始める場合は「ローカルファイルという書類を用意しておけばいいらしい」と勘違いしてしまいがちですので注意が必要です。

自主的に移転価格対応を始めよう

ローカルファイルは、アナリストが企業分析をするための資料ではありません。税務当局に対し、国外関連者との取引は独立企業間価格で行っていると主張するための書類です。

税務調査においては、調査官は確定申告書の別表17（4）及び必要に応じてローカルファイルを入手し、まずは書面上で移転価格税制上の問題が生じていそうかどうかの「あたり」をつけます。

調査官も効率を求めますので、移転価格対応が遅れていて追徴税を多く取れそうな企業を優先して調査を行うはずです。

これは逆の言い方をすれば、書面審査段階で移転価格対応がしっかりできていることが伝われば、それ以上の追及が行われない可能性もあるということです。

備えあれば憂いなしと言いますが、イザとなってから慌てるのではなく、自主的に移転価格対応を始めておくことが重要です。

親子間取引に移転価格税制上の問題があるとわかったとしても、それを改善して決算数値に結果が現れるまでには結構な時間がかかります。

次の調査がくる頃には、きれいな説明ができるよう早めに対策を始めましょう。何事も早期発見、早期治療が一番です。

3　移転価格調査が入りやすいケース

移転価格調査の必要度が高い場合とは

移転価格税制には免税点は存在しないので、ローカルファイルを作成するかどうかは企業が自己責任で判断しなければならないということですが、検討するにしても移転価格税制上の問題を疑われやすいのは、どういう状況なのかは知っておきたいところです。

この点について国税庁から発表された「移転価格ガイドブック」に、国税庁が移転価格調査の必要度を判断するときの検討項目が列挙されていますので、内容を確認します。

移転価格調査に係る調査必要度の判定

国税庁においては、申告状況、過去の調査情報、マスコミやその他の公開情報など様々な情報を活用します。

例えば、

・内国法人が赤字又は低い利益水準となっていないか
・国外関連者の利益水準が高くなっていないか
・国外関連者への機能・リスクの移転などの取引形態を変更している一方、それに伴い適切な対価を授受していないことや、軽課税国の国外関連者に多額の利益剰余金が存在すること等により、国外関連者に所得が移転していると想定されないか
・国外関連者に所得を移転させるタックスプラニングが想定されないか
・過去に移転価格課税を受けているにもかかわらず、当事者の利益水準等に変化が見られないなどコンプライアンスに問題が想定されないか
・内国法人と複数の国外関連者間で連続した取引（連鎖取引）を行い、利益配分状況や国外関連者の機能などが申告書上では解明できず、確認を要さないか

といった観点を含め、納税者とその国外関連者の機能・リスクも勘案しつつ、多角的に検討を行い、移転価格調査に係る調査必要度を判定することとしています（国税庁「移転価格ガイドブック」Ｐ24抜粋）。

あらゆる情報を駆使して調査必要度を判断

調査必要度を判定する際の情報源として、「申告状況、過去の調査情報、マスコミやその他の公開情報など様々な情報を活用」とありますので、何でもありという感じですが、ＷＥＢサイトや上場企業が公表している有価証券報告書も重要な情報源になっていると認識しておきましょう。

ＷＥＢサイトについては、調査するかどうかを判断するときだけでなく、実際に調査が始まってからも情報源として重宝されているようです。

例えば、国外関連者の比較対象企業としての妥当性を判断する際に、その企業のＷＥＢサイトをみれば、研究開発機能や自社ブランド製品の有無がわかる場合があり、「国外関連者とは果たしている機能や負担しているリスクが大きく違うため、比較対象企業として適切ではない」という根拠にできるかもしれません。

ＷＥＢ時代ならではの調査手法ですが、確かにＷＥＢサイトは企業が自ら発信する一次情報ですので、一定の信頼性がある公開情報だとはいえるでしょう。

低税率国にある国外関連者との取引は相対的にリスクが高い

上述した「移転価格ガイドブック」に列挙されているチェックポイントは、日本から外国への所得移転を疑うケースですので、基本的には日本本社の利益率が低く、国外関連者の利益率が高い場合に疑惑が高まることになります。

「軽課税国の国外関連者に多額の利益剰余金が存在すること等により、国外関連者に所得が移転していると想定されないか」というチェックポイントについて補足します。

移転価格税制はグループ会社間で独立企業間価格と異なる価格で取引した結果、自国にある法人の所得が減ることを認めないということですので、その国外関連者が重課税国にあろうと軽課税国にあろうと、日本からその国への所得移転があるのであれば、その分について指摘を受けることになります。

第一義的にはそうなのですが、税務当局が高税率国と低税率国のどちらの国への所得移転をより強く疑うのかというと、やはり低税率国です。

グループ全体の税負担を（不当に）軽減するために低税率国にある関連者に所得を集中させているのではないかと調査官が考えることは自然ですので、低税率国にある国外関連者との取引のほうが、移転価格リスクは相対的に高いといっていいでしょう。

「所得移転の連鎖」が起きていないかもチェックポイント

「内国法人と複数の国外関連者間で連続した取引（連鎖取引）を行い、利益配分状況や国外関連者の機能などが申告書上では解明できず、確認を要さないか」というチェックポイントについても補足します。

日本本社がタイ子会社の製品を独立企業間価格以上で買っているとします。その結果、通常であればタイ子会社の利益率は同業他社よりも高い水準になるはずです。

ですが、実際のタイ子会社の利益率がそれほど高くない場合、確定申告書やタイ子会社の決算書をみただけでは、タイ子会社への所得移転があったかどうかを判断できません。

しかしよく調べてみると、タイ子会社はベトナム子会社から大量の部品を買っており、ベトナム子会社の業績支援のために独立企業間価格以上の値づけになっているかもしれません。

結局、日本からタイに移転した所得がタイ子会社とベトナム子会社間の取引を通じてベトナムに移転したという図式になりますので、日本の移転価格税制上の問題があるということになります。

このような「所得移転の連鎖」が起きていないかどうかも、移転価格調査の必要度を判定する際の検討項目と考えられます。

海外寄附金対策の方が優先順位は上

「移転価格ガイドブック」をヒントに移転価格調査を実施するかどうかの判断材料をみてきましたが、これは主に棚卸資産取引に関する本格的な移転価格調査についての話です。

ですが、中堅企業にとっては、棚卸資産取引に関する移転価格調査よりも第5章で詳しくお伝えする海外寄附金のほうがずっとリスクが高いです。

海外寄附金とは、「国外関連者に何らかの支援を行った際にしかるべき対価を受け取っていなければ、その分を国外関連者への寄附とみなす」というもので、移転価格税制とは兄弟のような関係にあるルールです。

企業が行う寄附は通常は一定限度額まで損金算入が認められますが、海外寄附金は1円たりとも損金として認められないことになっています（租税特別措置法第66条の4第3項）。

そのため税務調査において海外寄附金と認定された場合は、1円も損金に算入されることなく全額が所得加算となります。

移転価格税制と海外寄附金との間に細かな違いはあるものの、国外関連者取引に関連して追徴課税を受けるリスクがあるという点では共通のものです。

棚卸資産取引の移転価格調査は、棚卸資産取引全体を通じて国外関連者への所得移転が生じていないかという「所得の偏り」を調査する目線が強いですが、海外寄附金は個々の項目について国外関連者から受け取るべきものを受け取っているかという目線です。

目線が異なりますので、それぞれ異なる対策が必要です。例えば、棚卸資産取引について説明力のあるローカルファイルをつくっていたとしても、国外関連者が負担すべき広告宣伝費を日本本社が負担していたのであれば、その部分については国外関連者への寄附と認定されてしまいます。

どちらもきっちり対策したいですが、どちらを優先すべきかというと海外寄附金だと思います。

棚卸資産取引に関する移転価格課税の場合は、手間と時間をかけた移転価格調査が必要になることが多い一方、寄附金課税は国外関連者が負担すべき費用を日本本社が負担している例をみつければいいだけなので、調査官にとって指摘の難易度が低いからです。

4　国外関連者との取引は5つに分類される

国外関連取引の類型

移転価格税制は国外関連者との取引を独立企業間価格で行うことを求めるルールですが、国外関連者への所得移転が起きるのは親子間で商品や製品の売買をするときだけではありません。

国外関連者取引には、次の5つの類型があります。

①　棚卸資産取引
②　役務提供取引
③　金銭消費貸借取引
④　無形資産取引
⑤　その他

①　棚卸資産取引

製品や商品の売買取引のことです。メーカーや商社の本業ですので、国外関連者との取引額が大きくなることがあり、その分だけ指摘を受けたときの追徴税額も大きくなる可能性があります。

メーカーや商社でローカルファイルを作成する場合、基本的には棚卸資産取引に関する課税リスクを低減することが目的と考えて差し支えありません。

②　役務提供取引

グループ企業間でサービス提供を行うことです。英語でIntra-Group-Service（ＩＧＳ）といいます。ＩＧＳの典型例は、国外関連者に出張して技術指導や営業支援を行うことです。

国外関連者にサービスを提供した際に独立企業間価格以下の対価しか受け取らなければ、その差額分だけ国外関連者に所得が移転したことになり、移転価格税制上の問題が生じていることになります。

③　金銭消費貸借取引

グループ企業間で金銭の貸し借りや債務保証を行うことです。

国外関連者に資金を貸し付けたのであれば、独立企業間価格といえる水準の金利を受け取らなければなりません。また国外関連者が現地の金融機関から借り入れを行い、日本本社が債務保証をしたのであれば、債務保証料を受け取る必要もあります。

④　無形資産取引

グループ企業間で無形資産の売買や貸し借りを行うことです。無形資産については後述しますが、「高い収益を生み出す原動力となる目にみえない資産」とご理解ください。

無形資産は商業的価値のある資産ですので、それを国外関連者に使わせているのであれば、しかるべき使用料（ロイヤリティー）を受け取らなければなりません。

役務提供取引が何らかの作業に対する対価（作業料）であるのに対し、ロイヤリティーは無形資産を貸したことによる使用料ですので、権利収入の一種といえます。

両者は実務的には必ずしも明確に区分できない部分がありますが、概念上は全く別のものです。

⑤ その他

上記に分類されない取引もあります。例としては、日本本社で使っていた中古の固定資産を国外関連者に売却するケースです。

国外関連者で必要な資産であるにも関わらず、日本本社が損をする価格で売却した場合は移転価格税制上の問題、または国外関連者への寄附金として指摘される可能性があります。

簿価以上であればいいと一概にいえるものではありませんが、金額的重要性があるのであれば、業者から見積もりを取るなど客観的な売却価格を探す努力が必要です。国外関連取引はこのように5種類に分類され、それぞれの取引について独立企業間価格で取引することが求められています。

移転価格ポリシーの明文化は検討の価値あり

国外関連者と取引を行う際の価格設定方針（値決めルール）のことを移転価格ポリシーといい、「ポリシー文書」という形にしている企業もあります。

例えば、「海外子会社への原材料の販売価格は仕入原価に1％上乗せする」「海外子会社の設計業務を代行するときは要したコストに10％上乗せする」といった形です。

ローカルファイル（移転価格文書）が移転価格税制上の問題の有無を検証した分析結果であるのに対して、移転価格ポリシーは「こういうルールで親子間取引の値決めを行います」という方針を示したものです。

金額的重要性などの理由からローカルファイルをつくらない場合であっても、移転価格税制の考え方に即した値決め方法によって追徴リスクを簡便的に低減することは可能ですので、移転価格ポリシーの明文化は検討の価値があると思います。

出資や配当は移転価格税制の対象外

ここで勘違いがないようにしておきたいことがあります。それは国外関連者への出資や国外関連者からの配当は移転価格税制とは無関係ということです。

配当は出資者（株主）という地位から得られる剰余金の分配であり、国外関連取引ではありません。

したがって「出資額の独立企業間価格」というものはありませんし、「配当の独立企業間価格」も存在しません。

当たり前のことと思うかもしれませんが、上場企業の経理部長から、「親子間貿易で子会社に所得が移転したとしても、後から配当で回収する方針だという説明で通用するでしょうか」と質問されたことがありますので、勘違いしている方もいるようです。

別のケースでは調査官に、「配当で回収してもらっても95％益金不算入ですからねぇ・・」と言われて、「そういうルールをつくったのはそっちでしょ」というやり取りをしているのを聞いたことがありますが、配当は移転価格税制とは無関係ですので、棚卸資産取引等を通じて国外関連者に所得が移転しているのであれば、後から配当してもしなくても所得移転分は指摘されても仕方がありません。

形式的に第三者を介在させてもダメ

また、形式的には非関連者との取引であっても、間に第三者がはさまってるだけで実質的には国外関連者との取引と認められる場合は、その非関連者との取引を国外関連取引とみなして移転価格税制の適用対象とすることになっています（租税特別措置法第66条の4第5項）。

国外関連者との取引とみなすかどうかの判断基準ですが、租税特別措置法施行令第39条の12第9項よると、

「日本本社と非関連者（商社等）、または国外関連者と非関連者が取引をした時点において、その後に国外関連者または日本本社に転売されることが契約等によりあらかじめ決まっており、その取

引価格も日本本社と国外関連者の間で実質的に決定されていると認められる場合、その取引は国外関連者との取引とみなす」とされています。

親子間取引の間に非関連者である商社等を形式的に介在させることによって移転価格税制の適用を免れることができるのであれば、課税上の不公平が生じるため、このような規定が設けられています。

5　無形資産は移転価格対応における最重要検討項目

無形資産とは

移転価格税制には無形資産という独特の概念が存在します。会計上の無形固定資産とも違う概念で、初めての人には感覚がつかみにくいものだと思います。

私はわかりやすさ優先で、「高い収益を生み出す原動力となる目にみえない資産」と説明していますが、平成31年度の税制改正で、「法人が有する資産のうち、有形資産及び金融資産（現金、預貯金、有価証券等）以外の資産で、独立の事業者間で通常の取引の条件に従って譲渡・貸付等が行われたとした場合に対価の支払が行われるべきもの」と定義されました。

無形資産は商業的価値があるものであるため、無償で売買や貸し借りを行ってはいけないということを強調した定義といえます。

無形資産の具体例

無形資産の具体例として、最も身近なものはメーカーが保有する製造ノウハウでしょう。

長年の研究開発の成果として蓄積した「製造ノウハウ」という無形資産があることによって、高品質な製品を低コストでつくることができるため、その企業の収益力が高くなるという論理です。

特許権として権利化されたものに限らず、高い収益を生み出す原動力となるものであれば、製造ノウハウ全体を無形資産として認識します。

また商標名（ブランド）や強力な販売ネットワークなども、収益源泉として特筆すべき価値があるのであれば、移転価格税制上の無形資産として認識することになります。

無形資産が重要である理由

日本本社または国外関連者に無形資産があるのかないのかという判断は、移転価格対応において非常に重要です。

その理由として、次の3つを挙げることができます。

① ロイヤリティーの受け取りモレや金額の少なさを指摘される可能性がある。

② 比較対象企業の選定に影響する。

③ 国外関連者の利益率が高い場合の説明根拠となる。

それぞれについて、順番にご説明します。

①　ロイヤリティーの受け取りモレや金額の少なさを指摘される可能性がある

無形資産取引の項目でも説明したとおり、ロイヤリティーとは無形資産の使用許諾を受けるために支払う使用料のことです。

日本本社が保有する製造ノウハウが無形資産といえる場合、そのような価値のある情報を無償で第三者に開示することは通常あり得ません。

ですが、国外関連者に対しては、「身内だから」という理由で企業秘密の塊といえる製造ノウハウを無償で公開することがあります。

日本本社から公開された製造ノウハウを使って国外関連者が高い収益を得ているのであれば、日本本社は無形資産の使用料として、しかるべきロイヤリティーを受け取る必要があります。

十分なロイヤリティーを受け取っていなければ、その分を国外関連者への寄附、あるいは国外関連者への所得移転と認定されるリスクがあります。

国外関連者のビジネスが大きい場合は、受け取るべきロイヤリティーの金額も大きくなりますので、ロイヤリティー収受の必要性について検討することは重要です。

特に国外関連者のビジネスが現地で完結している場合（いわゆるOut-Out取引）については、「Out-Out取引額の○％のロイヤリティー」という形でなければ十分な対価を回収できませんので、よりいっそう重要性は高まります。親子間の直接取引がなくなって現地完結型になるケースは増えていますので、注意が必要です。

②　比較対象企業の選定に影響する

無形資産の有無が移転価格対応において重要であるもう1つの理由は、比較対象企業の選定プロセスに影響することです。

ローカルファイルの作成過程においては国外関連者と十分な比較可能性を持つ企業を探すことが多いのですが、国外関連者が無形資産をもっている場合は、企業情報データベースなどから比較対象企業を探すことが困難となります。

なぜなら無形資産は他の企業がもっていない特別な収益源のことですので、無形資産を保有している企業はオンリーワンともいうべき存在であり、似たような会社が存在する可能性が低いからです。

他方、国外関連者が無形資産を有していないオーソドックスな企業であれば、同じような企業は他にもいるだろうということで、企業情報データベースから比較対象企業を見つけられる可能性が高くなります。

③　国外関連者の利益率が高い場合の説明根拠となり得る

無形資産の有無が重要である3番目の理由ですが、国外関連者の利益率が高い理由として、「国外関連者が無形資産を保有しているから」という主張が成り立ち得るからです。

日本の税務当局は国外関連者の利益率が高い場合、国外関連取引を通じて国外関連者に所得が移転しているのではないかという疑いをもちます。

ですが、国外関連者が自力で開発した（あるいは他社から買ってきた）製造ノウハウや販売ネットワークといった無形資産をもっていて、そのために同業他社より高い収益を上げているのであれば、日本本社からの所得移転は起きていませんので、移転価格税制上の問題はないことになります。

端的にいえば、国外関連者の利益率が同業他社の水準より高い理由は、国外関連者に無形資産があるか日本本社からの所得移転が起きているかのどちらかということです。

ただ中堅規模の日系企業の国外関連者が無形資産をもっているケースは一般的には少ないといえるでしょう。日本本社が長年かけて無形資産を構築し、その無形資産を最近設立した国外関連者に使用させている例がほとんどだと思います。

かなりの大企業であれば国外関連者もかなりの大企業であり、進出してから何十年も経っていますので、マーケティングや研究開発活動を重ねて現地向けのヒット商品を開発した（＝国外関連者に無形資産がある）という話にも説得力がでますが、失礼ながら、中堅企業の国外関連者にそこまでの力があるケースは少ないのではないでしょうか。

もちろん独自の技術や販売ノウハウで高い収益を上げている国外関連者もありますし、技術力のある第三者を買収して子会社化したケースもありますので、国外関連者に無形資産があってはいけないということではありません。

結局は、ケースバイケースですので、自社にあてはめて考えてみてください。

ロイヤリティーの考え方

無形資産の使用料（ロイヤリティー）を受け取るべきかどうか、ロイヤリティーの料率をどのように設定するかは一概にいえるものではなく、取引実態に応じて判断しなければなりません。

無形資産取引も独立企業間価格で行う必要がありますが、その算出方法としては、

① マーケットアプローチ
② インカムアプローチ
③ コストアプローチ

の３つの考え方があるといわれています。

① マーケットアプローチ

マーケットアプローチとは、同様の無形資産が第三者間取引において、どの水準のロイヤリティー料率で取引されているかを確認する方法です。

ロイヤリティー料率が掲載されたデータベース等から情報を入手しますが、そもそも無形資産はユニークであるがゆえに価値があるものですので、比較可能性の高い取引を探すことができるかどうかは疑問が残ります。

ですので、実務的には、１つの参考情報として類似（と思われる）取引のロイヤリティー料率を確認している企業が多いと思います。

② インカムアプローチ

インカムアプローチとは、無形資産を使用して得た利益から、無形資産を使用しなかった場合に得られたであろう利益（＝基本的活動だけを行った場合の利益）を差し引き、残った利益（超過利益）をロイヤリティーと考える方法です。

基本的活動だけを行った場合の利益は、基本的活動のみを行っている比較対象企業の利益率を使用することにより算出が可能です。

超過利益が日本本社のみの貢献で獲得された場合（＝日本本社のみが無形資産を保有している場合）、その超過利益は全額日本本社に帰属すべきです。

超過利益が双方の独自の貢献によって獲得された場合（＝双方が無形資産を保有している場合）は貢献度に応じて配分すべきと考えます。

③ コストアプローチ

コストアプローチとは、研究開発費用等の無形資産構築にかかったコストをロイヤリティーで回収するという考え方です。

研究開発等はコストの回収を最終目的にしている訳ではありませんので、当アプローチ単独でロイヤリティー料率を決定するのではなく、上述のアプローチで算出された料率では十分なコスト回収ができない場合に補正する意味合いで適用すべき方法といえます。

無形資産の保有者と特許権等の法的所有者は必ずしも一致しない

無形資産は特許権として権利化されたものに限られないとお伝えしましたが、もう少し話を深めて、どのようなことをした企業が無形資産からの高いリターンを享受すべきなのかという原理原則的な話をします。

無形資産からの高いリターンは、無形資産の開発、改良、維持、保護、活用という機能を果たし、それに関連するリスクを実質的に負っている者が享受すべきであり、無形資産開発にかかる資金を提供していることや、特許権等の法的所有者であることだけを理由に高いリターンを得るべきではないと考えられています。例えば、軽課税国や無課税国にある関連会社が法律上の特許権者になっていたり、研究開発用の資金を提供していても、上述の機能とリスクを実質的に負担していないのであれば受けるリターンは限られるべきという考え方です。

日系企業がそのような積極的タックスプランニングをすることは少ないとしても、ロイヤリティーを設定する際は法形式より実質を重視するということは知っておきましょう。

研究開発活動の取り扱いに注意

無形資産について一通り説明しました。

繰り返しますが、日本本社と国外関連者に無形資産があるのかないのかという判断は非常に重要です。

無形資産は他の企業がもっていない収益源のことですので、通常レベルの原価低減活動や販売活動は無形資産の構築に寄与しないと考えられます。それはどの企業もしていることだからです。他の企業がもっていないほどの収益源であれば、製造面だけでなく販売面の無形資産というものも考えられます。

多額のマーケティングコストをかけた結果、強力な販売力を誇っているのであれば、それは無形資産と判断し得るということです。

ただ日本はモノづくりの国ですので、やはり製造業における研究開発活動が無形資産の形成と結びつくイメージがあります。

日本本社が熱心に研究開発活動をしていて、その成果を国外関連者に無償公開しているのであれば、対価の受け取りが必要ないかを最優先で確認しましょう。

また国外関連者が無形資産をもっていない場合において、国外関連者の比較対象企業を企業情報データベースなどから選定する際には、候補に上がっている企業が研究開発活動に力を入れているかどうかも確認しましょう。

具体的には財務データを調べて、多額の研究開発費を計上しているのであれば研究開発型の企業と考えられますので、国外関連者との比較可能性はないと判断すべきです。

さらに深く検証するのであればホームページなどを確認し、研究開発の成果たる自社開発品などがないかを確認するのもいいでしょう。

無形資産をムリに認識する必要はない

日本本社または国外関連者に無形資産があるかどうかの判断は重要といいましたが、だからといって、ムリをしてまで無形資産を認識する必要はないと思います。

無形資産がどういうものか、それに関わる移転価格税制上のトピックに何があるのか、という知識を入れておくのはいいとして、税務調査で無形資産について特段の指摘がなかったのであれば、そうっとしておけばいいのではないでしょうか。

無形資産があると認識すれば、ロイヤリティーの料率をどうするのか、源泉税はどうなるのか、国外関連者サイドで損金になるのか、などいろいろ仕事が増えます。

日本本社に多額のロイヤリティーを払っていることを国外関連者サイドの税務当局が知ったときに、「そっちに無形資産があるなら、国外関連者にもこんな無形資産がある」という攻防が起きないとも限りません。

例えば、「多くの利益が出ているのはこちらの国の人件費が安いからだ。したがって先進国の人件費水準との差額は国外関連者サイドに帰属すべきだ」などと主張されると面倒です。

日本サイドは製造ノウハウなどの無形資産を国外関連者が使用したから利益が出たと主張するとしても、そのような理論が通るとは限りません。

無形資産があるのかどうかはっきりさせる必要がないのであれば、あいまいなままにしておくのも実務的に有効な選択だと思います。

3章

どのように独立企業間価格を算定するのか

1　ベストメソッドルール

最も適切な方法を選択する

前章までの内容を踏まえた上で、本章では独立企業間価格をどのように決めるのかということについて説明します。

移転価格税制では、次の独立企業間価格算定方法の中から最適な方法を選択することとされています（ベストメソッドルール）。これらの方法は日本のオリジナルアイデアではなく、国際機関であるＯＥＣＤが考えたものを各国が自国の税制に織り込んだものですので、国外関連者サイドの税制においても概ね同じ方法が認められているはずです。

〈独立企業間価格算定方法〉

①　独立価格比準法
②　原価基準法
③　再販売価格基準法
④　取引単位営業利益法
⑤　利益分割法
⑥　ディスカウント・キャッシュフロー法

相対的な価格（相場）を探しにいくことが多い

前記のうち、「①〜④」と「⑤」及び「⑥」はアプローチが異なります。「①〜④」は国外関連取引（親子間取引）と独立事業者間で成立している取引とを何らかの形で比較し、独立事業者間取引と国外関連取引との間に大きな違いがなければ国外関連取引は独立企業間価格で取引したと判断できると説明するアプローチです。

一方、「⑤」の利益分割法は、国外関連取引における日本本社側の利益と国外関連者側の利益を合計し、それを合理的な基準（分割ファクター）で分割することにより独立企業間価格を算定するアプローチです。

利益分割法も「独立事業者間であれば、どのように利益を分割するか」という考えが根底にあるため、独立企業間価格算定方法の1つとして認められてはいますが、分割ファクターにはどうしても主観が入るため証明力には疑問が残る（＝税務当局と見解の相違が起きやすい）方法といえます。

「⑥」のディスカウント・キャッシュフロー法は、親子間取引から生じると予測される将来収益を合理的な割引率で現在価値に割り引くことによって独立企業間価格を算定する方法です。

将来収益という不確実な数字を使いますので、他の方法よりも信頼度が低く優先順位が劣後するとされています。

実務上はまず「①〜④」の方法（まとめて比較法といいます）を検討し、それが無理な場合に利益分割法を検討することになるでしょう。

ディスカウント・キャッシュフロー法が使われるのは、無形資産の売買取引などに限られるはずです。

2 内部比較と外部比較

絶対的な独立企業間価格は誰にもわからない

移転価格税制は親子間取引を独立企業間価格で行うことを求めていますが、個々の製品・商品の「絶対的な独立企業間価格」というものは誰にもわかりません。

例えば「自動車に搭載されているエアコンの吹き出し口に使われているプラスチックのあの部品」の独立企業間価格がいくらなのかと聞かれても、絶対的な価格を答えることは難しいでしょう。

絶対値はわからないので、相対的な価格、つまりは相場を調べにいきます。

「価格そのもの」を比較する場合、「粗利益率」を比較する場合、「営業利益率」を比較する場合がありますが、それらは何と比較するかによって内部比較と外部比較に分かれます。

内部比較・・日本本社と国外関連者の取引を、「日本本社と第三者の取引」または「国外関連者と第三者の取引」と比較する

外部比較・・日本本社と国外関連者の取引を、「第三者同士」の取引と比較する

両者の違いについて、図を使ってご説明します。

内部比較の具体例

内部比較の例を紹介します（図表2）。

一番上の図は、日本本社と第三者が製品Aを100円で取引しているのであれば、それを比較対象として、日本本社と国外関連者の製品Aの取引価格を100円に設定するということです。日本本社と第三者とは独立した事業者ですので製品Aの取引価格（100円）は独立企業間価格といえます。ですので、（他の取引条件が同じであれば）日本本社と国外関連者の製品Aの取引価格を100円にしておけば、移転価格税制上の問題はないと説明できることになります。

真ん中の図は、日本本社が製品カテゴリーX（例えばシートベルト）を第三者に販売する際の平均粗利益率が20％であるならば、それを比較対象として、製品カテゴリーXの平均粗利益率が20％になる価格で国外関連者に販売するという意味です。

シートベルトという製品カテゴリーの中に多くの品番がある場合において、品番1つひとつではなく、「シートベルト取引全体」の平均粗利益率を独立事業者間取引と同水準に設定することによって、移転価格税制上の問題はないと説明しています。

一番下の図は、国外関連者と第三者（銀行）との間の融資利率が年3％なので、それを内部比較として採用し、日本本社が国外関連者に貸し付けを行う際の利率を年3％にするということです（移転価格税制における独立企業間「価格」には、100円、5万ドルという通貨による価格だけでなく、「利益率」や「％」も含まれます）。

〔図表2　内部比較の例〕

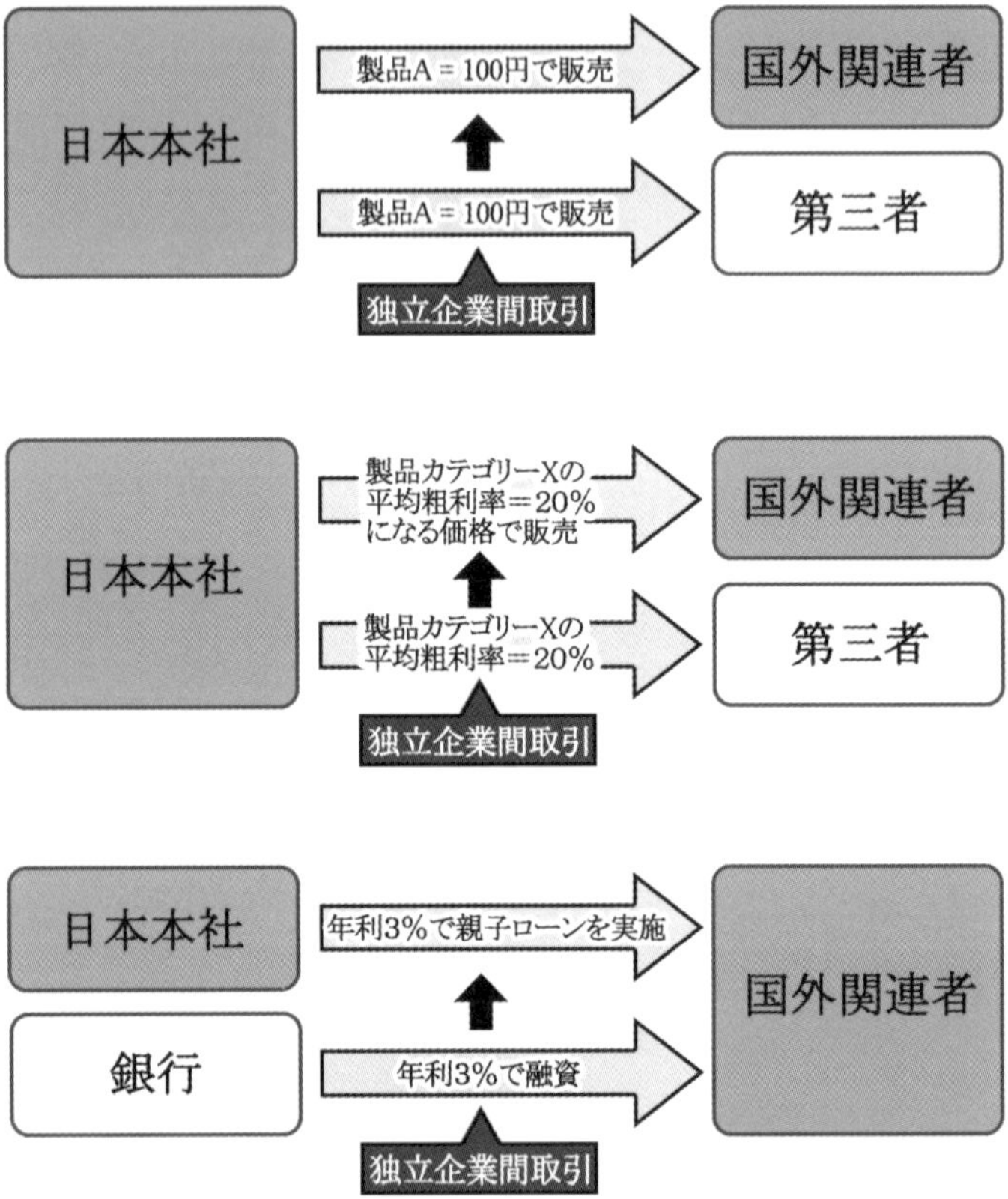
日本本社
製品A＝100円で販売
国外関連者
製品A＝100円で販売
第三者
独立企業間取引
日本本社
製品カテゴリーXの平均粗利率＝20％になる価格で販売
国外関連者
製品カテゴリーXの平均粗利率＝20％
第三者
独立企業間取引
日本本社
年利3％で親子ローンを実施
国外関連者
銀行
年利3％で融資
独立企業間取引

〔図表３　内部比較（購入した場合）〕

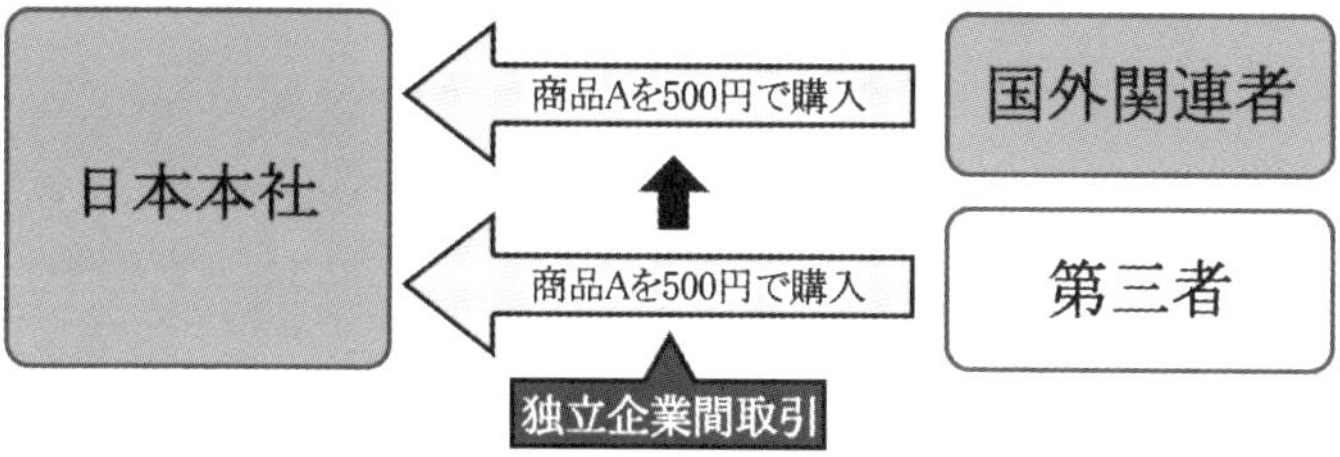

このように内部比較とは、「日本本社と第三者」あるいは「国外関連者と第三者」との間で成立している取引を比較対象として、日本本社と国外関連者の取引価格を決めることです。

内部比較は後述の外部比較より高い証明力を持つため、内部比較の有無を優先して検証する必要があります。

買う場合も同様

内部比較は国外関連者に販売するときだけでなく、国外関連者から購入する場合にも存在することを補足しておきます（図表３）。

第三者から製品Ａを５００円で購入しているのであれば、それを比較対象として、国外関連者からも製品Ａを５００円で購入しておけば移転価格税制上の問題はないことになります（その他の取引条件は同等であると仮定）。

逆にいえば、第三者から５００円で購入できるものを国外関連者から１０００円で購入していて、そこに合理的な理由ないのであれば移転価格税制上の問題があることになります。身内だから高い価格で買っていると解釈すべきだからです。

外部比較の具体例

次に外部比較の例を紹介します（図表4）。

一番上の図は、資本関係のないX社とY社の間の製品Aの取引価格が100円であれば、それを比較対象として、日本本社と国外関連者の製品Aの取引価格を100円に設定するという意味です。

独立した事業者同士で成立しているのですから、製品Aの取引価格（100円）は独立企業間価格といえます。ですので、（他の取引条件が同等であれば）日本本社と国外関連者の製品Aの取引価格を100円にしておけば、移転価格税制上の問題はないと説明できることになります。

真ん中の図は、企業情報データベースから国外関連者の類似企業（比較対象企業）を選定し、その企業の平均粗利益率（売上高総利益率）が25％であれば、国外関連者の平均粗利益率が25％になる価格で日本本社と国外関連者の取引を行うという意味です。

比較対象企業の選定プロセスにおいて、どこかの企業の子会社は除外します。親会社との取引によって財務データが歪んでいる可能性を排除するためです。

つまり独立した事業者の平均粗利益率が25％のビジネスなのだから、国外関連者の平均粗利益率が25％になる価格で親子間取引を行っておけば、移転価格税制上の問題はないといえるという考え方です。一番下の図は、発行体の信用格付けが国外関連者と同程度で、通貨や期間も親子ローンと同等の社債の証券取引所における利回りが3％なので、それを外部比較として採用し、日本本社が国外関連者に金銭を貸し付ける際の利率を年3％にするということです。

〔図表4　外部比較の例〕

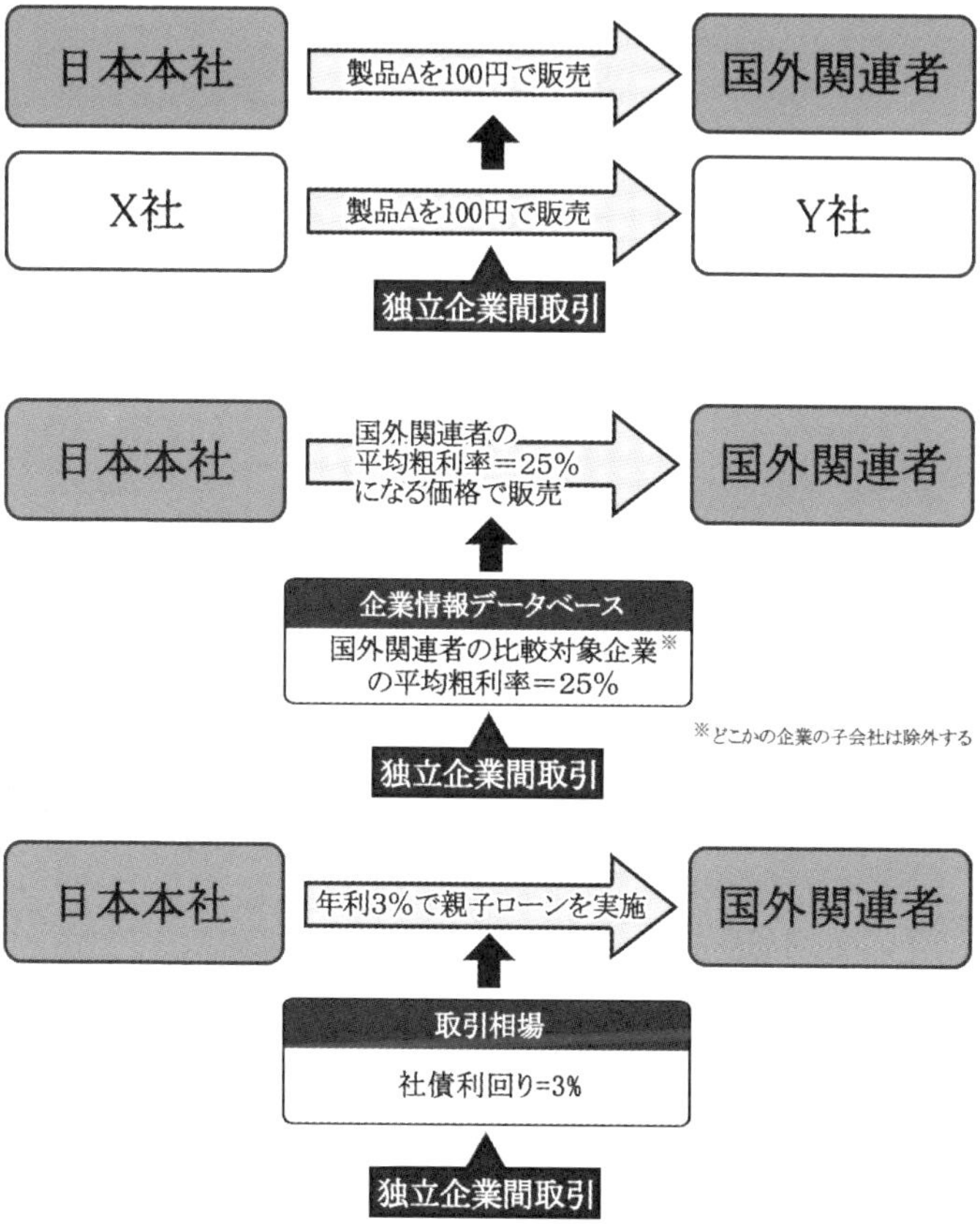
日本本社
製品Aを100円で販売
国外関連者
X社
製品Aを100円で販売
Y社
独立企業間取引
日本本社
国外関連者の
平均粗利率＝25%
になる価格で販売
国外関連者
企業情報データベース
国外関連者の比較対象企業※
の平均粗利率＝25%
※どこかの企業の子会社は除外する
独立企業間取引
日本本社
年利3%で親子ローンを実施
国外関連者
取引相場
社債利回り=3%
独立企業間取引

社債の発行者と購入者は独立した事業者同士ですので、年3％という利率は独立企業間価格といえるからです。

3 比較法の解説

価格そのものを比較するか、粗利益率を比較するか、営業利益率を比較する

内部比較と外部比較の違いを理解したところで、比較法といわれる次の独立企業間価格算定方法の説明をしていきます。

① 独立価格比準法（CUP法） ⇓ 「価格そのもの」を比較
② 原価基準法（CP法） ⇓ 「製造原価に上乗せする利益率」を比較
③ 再販売価格基準法（RP法） ⇓ 「仕入れた商品に上乗せする利益率」を比較
④ 取引単位営業利益法（TNMM） ⇓ 「親子間取引全体の営業利益率」を比較

① 独立価格比準法（CUP法：Comparable-Uncontrolled-Price-Method）

独立価格比準法（CUP法）は、「価格そのもの」を比較対象取引と比較する方法です（図表5）。

一番上の図は、日本本社と第三者の製品Aの取引価格が500円であれば、その「500円」というと「価格そのもの」を日本本社と第三者の取引価格に採用しています。これは独立価格比準法の

内部比較ですので、内部ＣＵＰ法になります。

真ん中の図は、取引所相場における社債利回りが３％であれば、「３％」という「価格（利率）そのもの」を親子ローンの際に採用するという意味です。

一番下の図は、企業情報データベースに掲載されている独立事業者間のロイヤリティー料率が「売上高の２％」であり、それが親子間取引と十分な比較可能性を有しているのであれば、その料率を比較対象として、国外関連者からのロイヤリティー料率を２％に設定するという意味です。

これら2つは取引所の相場や企業情報データベースから第三者同士で成立している価格（料率）を探してきて比較対象としていますので、外部ＣＵＰ法になります。

ＣＵＰ法は比較対象取引の「価格そのもの」を国外関連取引に採用する方法ですので、非常に高い証明力をもっています。

それだけに国外関連取引と比較対象取引の間には製品や取引条件についての高い類似性が要求されますので、棚卸資産取引についてＣＵＰ法（特に外部ＣＵＰ法）を適用できるケースは少ないと思われます。

一方、金融取引（親子ローン）の場合は、取引所の相場や銀行からの提案書によって、比較的容易に比較対象取引をみつけることができます。そのため親子ローンの金利についてはＣＵＰ法が採用されることが多いです。

ただし２０２２年の移転価格事務運営要領の改正により、銀行見積りは市場金利等には該当しな

〔図表５　独立価格比準法〕

〈内部CUP法〉

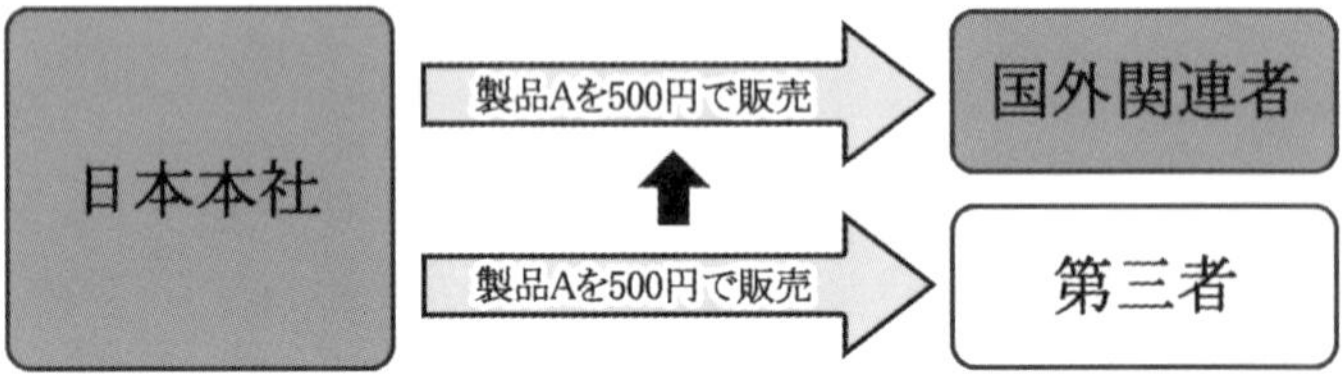

〈外部CUP法〉

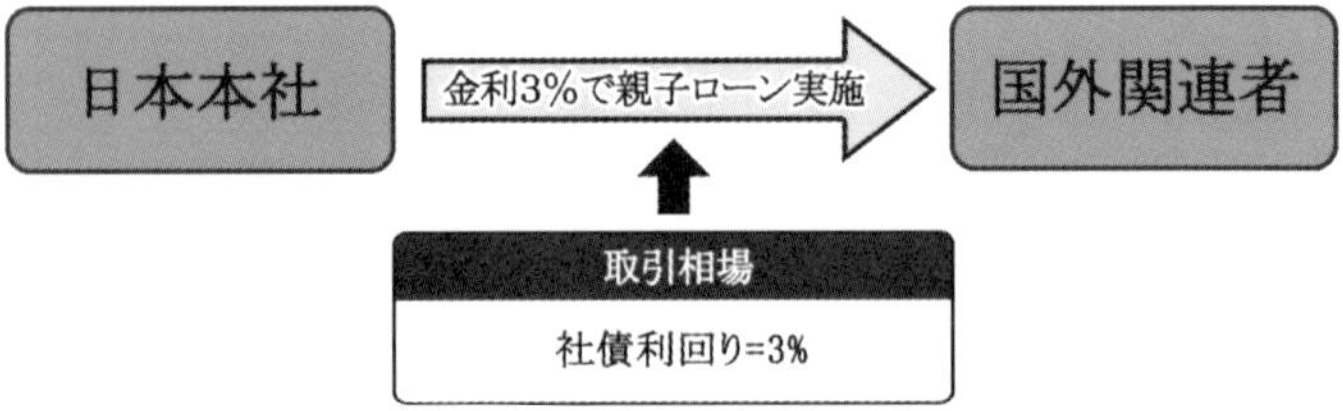

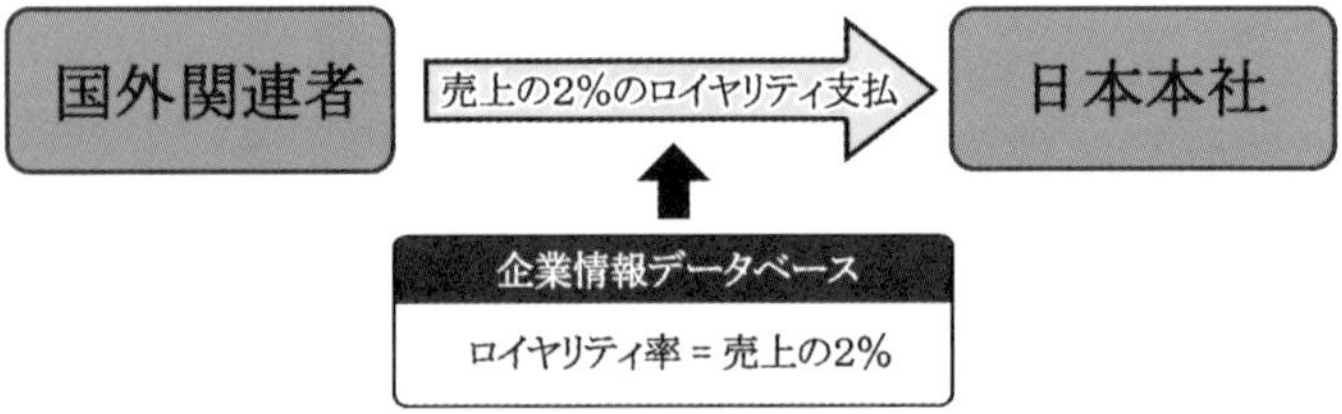

いとされましたので、この点は注意が必要です（第5章参照）。

②　原価基準法（CP法：Cost-Plus-Method）

次は原価基準法（CP法）です（図表6）。

原価基準法とは「製造原価にオンする利益率（マークアップ率）」を比較対象取引と比較する方法で、基本的にはメーカー向けの方法です。

上の図は、日本本社が製品カテゴリーX（例えばハンドル）を第三者に販売する際の平均マークアップ率が18％であるならば、それを比較対象取引として採用し、国外関連者に販売するときの平均マークアップ率を18％に設定するという意味です。

これは原価基準法の内部比較ですので、内部CP法です。

下の図は、企業情報データベースから国外関連者の比較対象企業を選定し、その売上高総利益率の四分位レンジが15％～25％であれば、国外関連者の売上高総利益率（＝マークアップ率）がそのレンジに入る価格で国外関連者が生産した製品を購入するという意味です（四分位レンジについては後述）。

これは国外関連者と同じような事業を行っている独立事業者（＝どこかの子会社ではない企業）の利益率を比較対象としていますので、外部CP法です。

原価基準法も高い説明力をもつ方法ですが、その分製品・商品や取引内容・取引条件についての

〔図表6　原価基準法〕

〈内部CP法〉

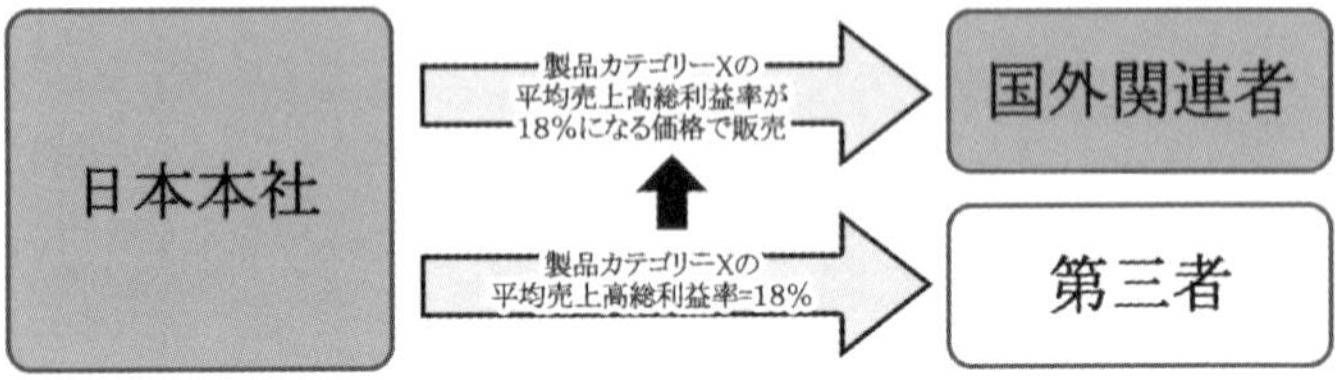

〈外部CP法〉

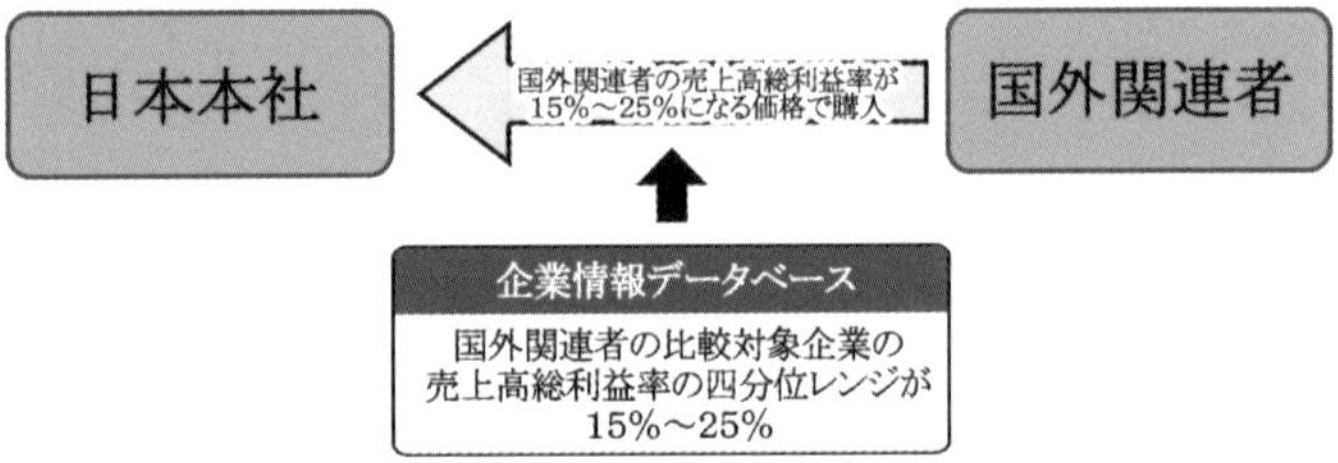

高い比較可能性が求められます。

比較対象取引と比較対象企業

ここまでに何度か「比較対象取引」と「比較対象企業」という言葉が出てきましたが、ここで用語の確認をしておきます。

移転価格検証を行うにあたって、本来であれば親子間取引と十分な比較可能性を有する取引を探したいのですが、そのような外部情報を入手することは実務的には困難であるため、国外関連者（または日本本社）と事業内容等が類似する企業を探してきて、その企業全体の財務データ（売上高総利益率や営業利益率）を使用することが多くなります。

財務データを比較対象取引として使用するために選定されたこのような企業のことを特に比較対象企業と呼びます。

「取引」を比較する場合と「企業」を比較する場合があることになりますが、共通していえることは十分な比較可能性が要求されるという点です。比較可能性がない取引や企業と比べても参考にならないからです。

とはいえ、親子間取引とそっくりな第三者間取引が見つけることは難しいですし、国外関連者とそっくりな企業もないはずですので、実務的にはある程度のところで落としどころを探すしかない話です。

③ 再販売価格基準法（ＲＰ法：Resale-Price-Method）

再販売価格基準法（ＲＰ法）とは、「仕入商品に上乗せする利益率」を比較対象取引と比較する方法で、商社（卸売業）向けの方法です（図表7）。

上の図は、第三者から購入して転売した商品カテゴリーＹ（例えば、塗料原材料）の平均売上高総利益率が15％であるならば、それを比較対象として、国外関連者の平均売上高総利益率が15％になるような価格で日本本社から商品カテゴリーＹに属する商品を購入するという意味です。これは再販売価格基準法の内部比較ですので、内部ＲＰ法です。

下の図は、企業情報データベースから国外関連者の比較対象企業を選定し、その売上高総利益率の四分位レンジが10％～18％であるならば、国外関連者の売上高総利益率がそのレンジ内に入るような価格で親子間取引を行うという意味です。

これは国外関連者と同じような事業を行っている独立事業者の利益率を比較対象としていますので、外部ＲＰ法です。

再販売価格基準法も高い説明力をもつ方法ですが、その分製品・商品や取引内容・取引条件についての高い比較可能性が求められます。

基本三法とは

ここまで説明してきた独立価格比準法、原価基準法、再販売価格基準法をまとめて基本三法とい

〔図表7　再販売価格基準法〕

〈内部RP法〉

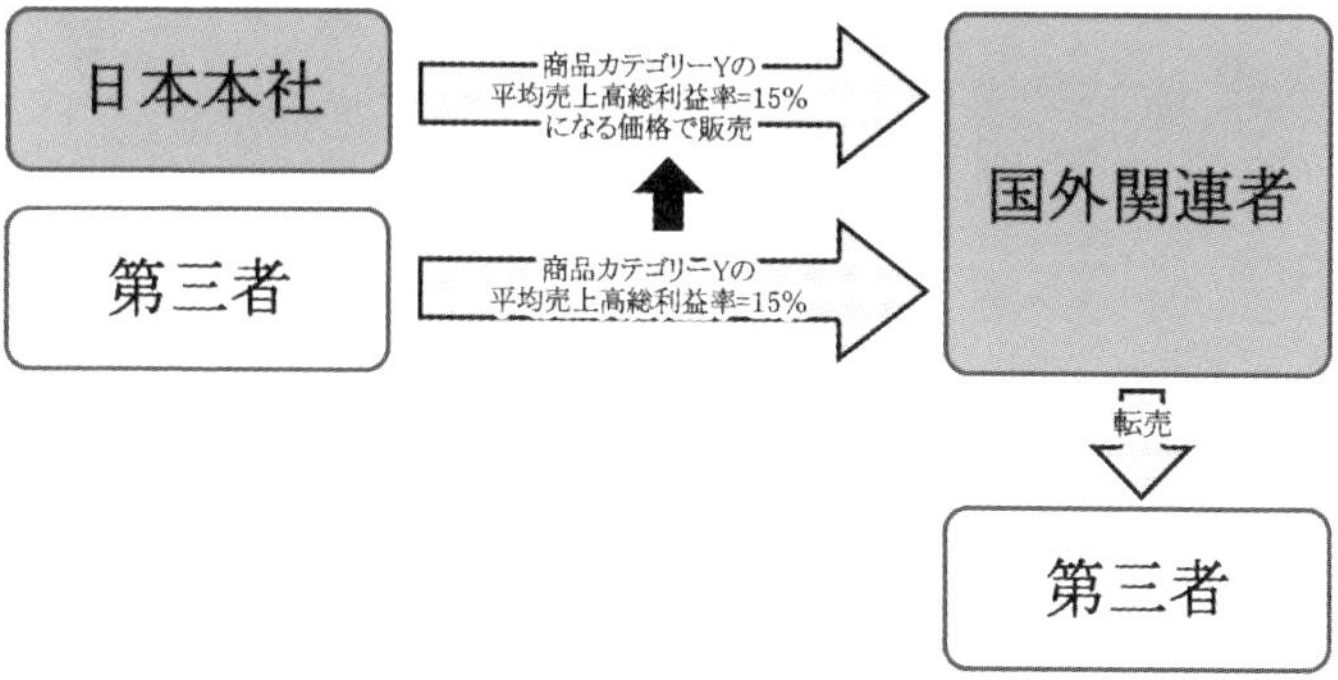

〈外部RP法〉

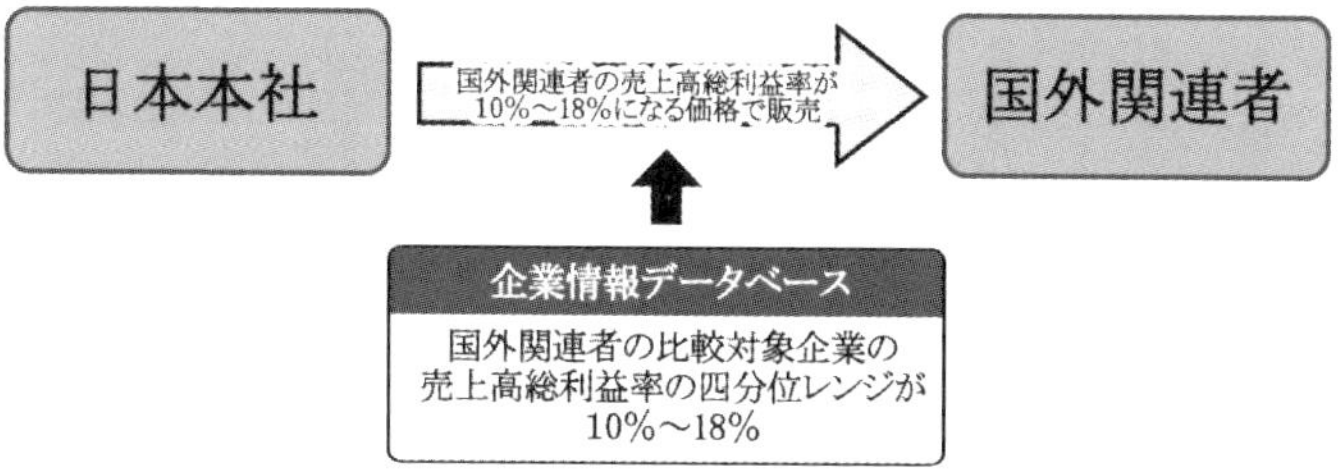

います。

基本三法は証明力の強い方法ですので、以前は基本三法を優先して検討し、基本三法が適用できない場合にその他の方法を検討するとされていました。

ですが、現在はすべての方法の中からベストの方法を選択するという方式（ベストメソッドルール）に改められています。

これは親子間取引の形態に様々ある中、算定方法に優劣を設けずにケースバイケースで判断しようという趣旨です。このあたりは国によって若干の違いがあるところで、現在でも基本三法を優先している国はあります。

メーカーであればCP法、商社であればRP法とも限らない

原価基準法はメーカー向けの方法で、再販売価格基準法は商社向けの方法といいましたが、これは国外関連者（または日本本社）が会社全体としてメーカーなのか商社なのかということではなく、親子間取引においてメーカー的役割を果たしているのか、商社的役割を果たしているのかという観点で考えます。

例えば、国外関連者が工場を保有して製造活動を行っていても、それは現地で完結するビジネスで親子間取引とは関係がなく、日本本社から仕入れた商品に関しては単純に転売しているだけであれば、国外関連者は会社全体としてはメーカーであっても親子間取引に限っていえば商社に近いこ

とになります。

このような場合は、国外関連者を比較対象とする再販売価格基準法が採用される可能性がありま す。国外関連者の比較対象企業を探す際もメーカーからではなく、商社（卸売業）に分類される企業の中から探すことになります。

税務当局やコンサル会社が選定してきた比較対象企業をみて、「ウチの子会社は製造業なのに、何でライバル企業は商社なんだ」と思うことがあるかもしれませんが、それは親子間取引にフォーカスして比較対象企業を選定したからだと思われます。

実務的にはメーカーとも商社とも言い切れない場合もありますので、スッキリ納得とはいかないかもしれませんが、移転価格分析はあくまでも親子間取引に限定して行うものだということを覚えておきましょう。

④ 取引単位営業利益法（TNMM：Transactional-Net-Margin-Method）

取引単位営業利益法（TNMM）は、国外関連者（または日本本社）の営業利益率を比較対象取引と比較する方法です（図表8）。

企業情報データベース等から国外関連者（または日本本社）と十分な比較可能性を有する企業を何社かピックアップし、それらの企業の営業利益率レンジ内に国外関連者（または日本本社）の営業利益率が入っていれば移転価格税制上の問題はないと結論づけることになります。

〔図表8　取引単位営業利益法〕

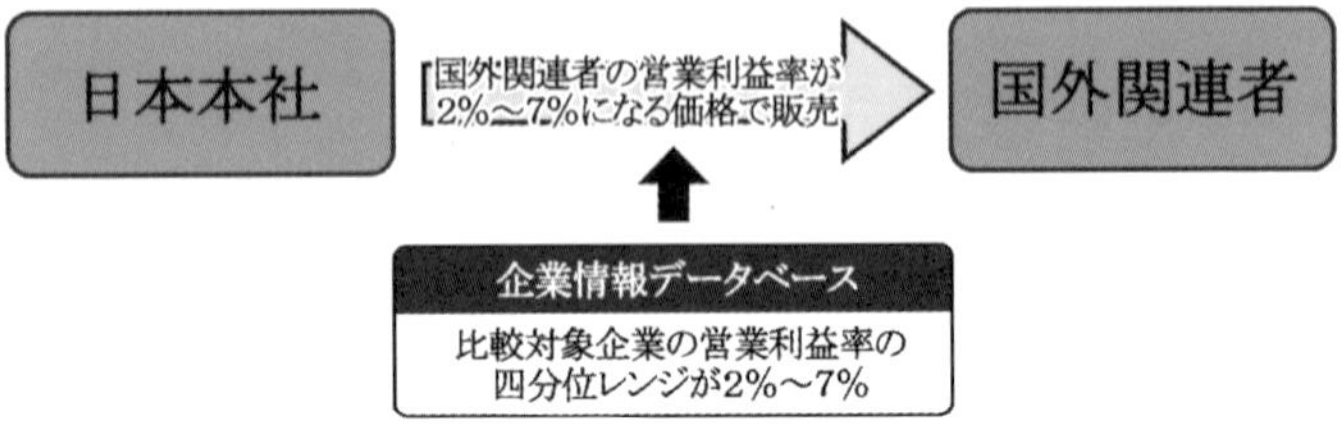

企業情報データベースから比較対象企業を探してきていますので、これは外部比較です。内部比較もなくはないのでしょうが違和感がありますので、取引単位営業利益法は外部比較のみと考えて差し支えないでしょう。

売上高営業利益率とフルコストマークアップ率

営業利益率として、売上高営業利益率を使う場合と総費用営業利益率（フルコストマークアップ率）を使う場合があります。総費用とは売上原価＋販管費のことです。

両者の使い分けについて、国外関連者サイドの営業利益率を検証対象とする取引単位営業利益法を採用したケースで説明します。

国外関連者が日本本社に製品や商品を売っているのであれば、その売上高が独立企業間価格といえるかどうかを検証しているのですから、分母に売上高を使うと適切な分析ができません。そのため総費用営業利益率を使って分析します。

反対に国外関連者が日本本社から買っているのであれば、

仕入額（≒売上原価）が独立企業間価格といえるかどうかを検証しているのですから、売上高営業利益率を使って検証することになります。

あまり使われないと思いますが、他にもベリー比（売上総利益÷販管費）という指標が認められています。

多額の売上と売上原価が計上されているものの、商品は日本本社から顧客に直送されていて、国外関連者は伝票処理だけを行って手数料程度の収益を得ているようなケースにおいては、多額の売上（例えば５０００万ドル）と少額（例えば１万ドル）の営業利益を使って検証する方法は適切とは言い難いでしょう。

ベリー比の使用はこのような場合に検討されます。

ほとんどのローカルファイルはＴＮＭＭを採用している

取引単位営業利益法は、現在主流の方法です。日本に限らず海外で作成されたローカルファイルをみても、大半が取引単位営業利益法で説明されています。

「価格そのもの」や「売上高総利益率」を比較する基本三法の場合、製品・商品の種類だけでなく、売り手と買い手が果たしている役割や負担しているリスクについても高い比較可能性が要求されます。

その点、販管費を控除した後の金額である営業利益は営業活動の違いを吸収した後の金額ですので、販管費がクッションの役割を果たす面があって使い勝手がいいことが理由だと思います。

販管費がクッションの役割を果たすとは

この点について例を挙げてもう少し説明します。

日本本社から電子部品を輸入して現地企業に転売しているタイの子会社Aの売上高総利益率が20%だとします。

再販売価格基準法を適用しようとする場合、同じような商品を扱っている企業とA社の売上高総利益率を比較することになります。

ここで比較対象企業候補として見つけてきたB社の売上高総利益率が10%だったとします。

20%と10%を単純に比較するとA社は儲け過ぎにみえますが、果たしている役割（機能）と負っているリスクについて精査すると違った側面がみえてきました。

B社はA社と同様の商品を扱ってはいるものの、既に確立された販売ルートを持っており、営業スタッフも抱えず注文に応じて伝票を通すだけで、在庫リスクさえ負っていませんでした。

一方A社は営業スタッフを多数抱え、広告宣伝も行い、在庫リスクも負って販売活動を行っていました。

同じ商品を扱っていても、伝票を通すだけのB社と販売活動全般について重要な役割とリスクを負っているA社では、必要となる売上高総利益率は違ってきます。

伝票を通すだけなら10％の売上高総利益率で十分であっても、販売活動に多くの費用がかかる場合は20％でも足りないかもしれません。

A社とB社の販売機能面の差異を合理的な方法で調整できればいいですが、通常それは難しいため、再販売価格基準法を適用する際の比較対象企業としてB社は適切ではない（＝比較可能性が不十分）と考えたほうがいいでしょう。

営業利益率ベースと比較すると・・

それが取引単位営業利益法の場合は、販管費を控除した後の営業利益ベースでの比較ですので、

・粗利益が低い商品⇓営業経費は少ない⇓一定の営業利益は残る
・粗利益が高い商品⇓営業経費が多くかかる⇓営業利益は一定程度しか残らない

というように粗利益の多寡が販管費で調整され、一定の営業利益率のレンジ内に落ち着くことが想定されます。

そのため取引単位営業利益法であれば、B社を比較対象企業として採用できる（＝比較可能性が十分）かもしれないということです。

企業規模が小さい場合、営業利益率は大きくブレる

ただこれも一概にいえることではありません。

販管費の額が小さい場合は、売上や売上総利益が増減したときに営業利益率が大きくブレますので、営業利益率を使った検証が適切でないということも考えられます（この点については、次章で考えてみたいと思います）。

比較法のまとめ

比較法は親子間取引を何らかの形で独立事業者間取引と比較することによって、移転価格税制上の問題がないかを説明しようとする方法です。

比較のパターンにいくつかあるだけで難解な数学や統計学を駆使してはいませんので、専門家でなければできないというものではありません。比較しているだけといえば比較しているだけだからです。

比較対象取引（企業）の比較可能性が十分かという議論は常にありますが、では専門家や税務当局のほうがより比較可能性の高い取引や企業を見つけられるのかというと、それも疑問です。

むしろ企業自身のほうが過去からの経緯や取引の中身を詳しく知っていますので、比較対象となり得る取引や企業を見つけやすいはずです。

これは私が移転価格対応を内製化すべきと主張する根拠の1つです。そのため当事務所の場合は、比較対象取引（企業）を選定する際の標準的な方法（プロセス）をお伝えして、実際の作業は企業自身で行っていただきます。次年度以降の更新を考えると、そのほうがいいからです。

4　利益分割法（ＰＳ法：Profit-Split-Method）

次に利益分割法について説明します。利益分割法は国外関連取引における日本本社の利益と国外関連者の利益を合計し、合理的な分割ファクターで按分する方法です。

合計利益の分割ですので、独立企業間価格を算定するというイメージからは離れますが、先述した通り独立した事業者同士であれば、このように利益を分配するだろうという考えで分割しますので、利益分割法も独立企業間価格算定方法の１つとして認められています。

分割対象となる利益は原則として営業利益の額です。理由は、独立した事業者間であれば事業活動の結果をどのように分割するのかという考え方ですので、売上総利益や当期純利益よりも事業活動の直接の結果を表す営業利益の額を分割することが合理的だからといわれています。

利益分割法はその分割方法によって、さらに３つに細分化されます。

イ　寄与度利益分割法
ロ　比較利益分割法
ハ　残余利益分割法

そのため独立企業間価格算定方法は、大きく分けて６つ、細かく分けると８つ存在することになります。

イ　寄与度利益分割法

寄与度利益分割法とは、日本本社と国外関連者の合計利益を「利益獲得に貢献した度合い」（分割ファクター）の比率で分配する方法です（図表9）。

分割ファクターの設定方法に決められたルールはありませんので、人件費や減価償却費の額など、利益の発生に比例的に寄与したと考えられるインプットを推測して、各社の判断で決定しなければなりません。

例えば、日本本社が製造した製品を国外関連者が現地で販売している場合において、日本本社の製造経費と国外関連者の販管費が利益獲得に貢献した要因であるならば、両者の比率で合計利益を按分することになります。

日本本社の製造経費が年間3億円で、国外関連者の販管費が年間2億円であるならば、営業利益の合計額を3：2で分割するということです。

寄与度利益分割法は、企業情報データベースなどの外部情報を使わずに企業内部にあるデータだけで完結するという点にメリットがある方法です。

ですが、分割ファクターの取り方1つで大きく金額が動きますので、本当に独立企業間価格で取引したといえるのか、証明力には疑問が残る方法です。

そのため、どうしても比較対象取引が見つからない場合などに限定して採用されるべき方法だと思います。

〔図表9　寄与度利益分割法〕

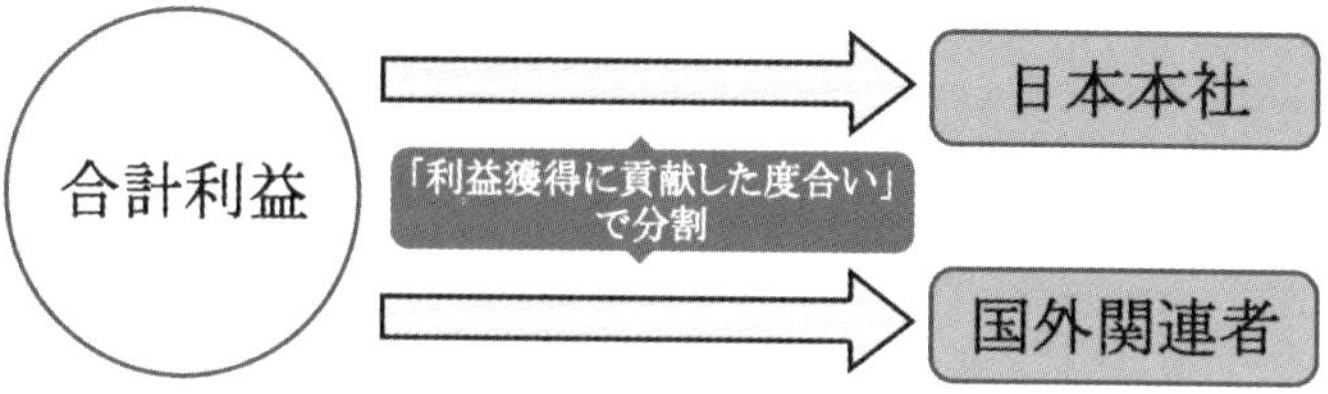

寄与度利益分割法を適用することが適切な場合

寄与度利益分割法が適切と言われている例を3つご紹介します。

i　寡占市場に属している場合

自社グループが寡占市場に属していて競合企業が数社しかなく、それらの企業も親子間取引しか行っていない場合、比較対象となる第三者間取引が存在しないことになります。

このような場合は、親子の合計利益を分割する寄与度利益分割法が適切ということになります（というより、それ以外に方法がない）。

ii　親子の機能が高度に統合し、一体となって価値を提供している場合

親会社と子会社が一体となって顧客に価値を提供している場合、寄与度利益分割法が適切と判断される可能性があります。

このような取引の例として、「金融機関におけるデリバティブ取引などのグローバルトレーディング取引」が挙げられています。

日本本社と国外関連者が情報を交換しながらトレーディングを繰り返し、結果的に顧客の要望に応えるサービスを提供している場合、親と子の機能が複雑に絡み合っているためどちらか一方の利益水準

を検証対象とする方法は適切とはいえず、また比較対象となる取引を探し出すことも難しいため、人件費比率などの社内データで合計利益を分割する寄与度利益分割法が適切と判断される可能性があるということです。

ⅲ　共同購入による規模の利益が生じている場合

日本本社と国外関連者の果たしている機能やリスクに大差がなく、どちらを検証対象としてもいい状況だが、片方の利益水準を比較対象企業と同水準にすると、もう片方に機能・リスクに見合わない過大な利益が計上されてしまう場合を想定します。

そしてその原因が、日本本社と国外関連者が原材料を共同で大量購入することによって、他社より有利な条件を引き出しているためだとします。

この場合、どちらか片方を検証対象とする方法では適切な結果にならないため、寄与度利益分割法が適切と判断されます。この場合の分割ファクターとしては、その原材料の購入額の比率が有力でしょう。

データベースを買う予算がないときに採用することも・・

また現実的な話として、企業情報データベースを買う予算がないという理由でこの方法を採用している企業もあります。

親子間取引の規模がそれほど大きくないので、とりあえず最低限の文書化をしておこうという趣旨です。

移転価格専任担当者を置いている大企業のフルスケール対応は中堅企業にとってベストではありません。

海外に子会社があっても経理部門は数名しかいない企業も多いのですから、労力面、費用面とそれに対する効果を考えながら、「自社グループにとってベストな」移転価格対応を模索することも重要だと思います。

同時に最近は、比較的リーズナブルにデータベースを購入できるようになってきているということもお伝えしておきます（データベースについては後述）。

ロ　比較利益分割法

比較利益分割法は、独立第三者間の利益分割割合がわかれば、それを比較対象として合計利益の分割する方法です（図表10）。

国外関連取引と十分な比較可能性をもつＸ社とＹ社（独立事業者同士）の利益配分割合が７：３ということがわかれば、日本本社と国外関連者の利益を７：３で分割するということです。

とはいえ、そのような情報が手に入る状況であれば、その企業の売上高総利益率や営業利益率を使って原価基準法や取引単位営業利益法を適用すればいいのですから、この方法が採用されることはほぼないと思います。

〔図表 10　比較利益分割法〕

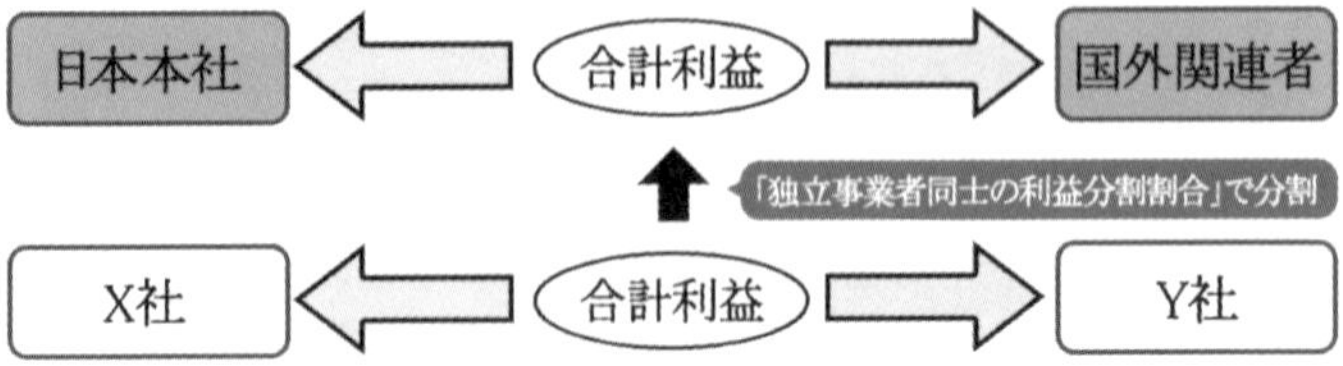

〔図表 11　残余利益分割法〕

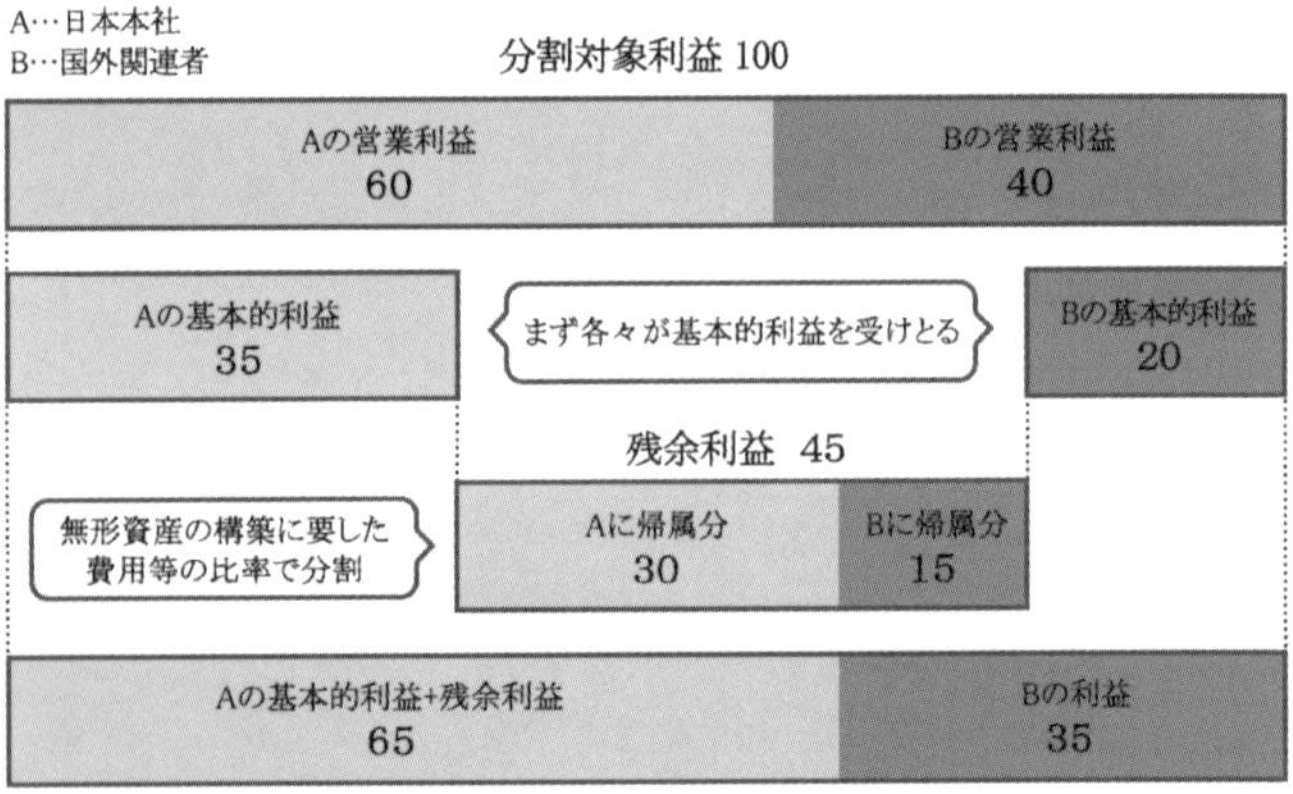

ハ　残余利益分割法

残余利益分割法は、親子間の合計利益を「基本的活動による利益」と「無形資産を活用したことによる超過利益」の2段階で分割する方法です（図表11）。

「基本的活動による利益」とは無形資産を使用せずに得た利益のことです。例えば、企業情報データベースから無形資産をもたないオーソドックスな企業を何社か選定し、その平均営業利益率を使用して算出します。

「無形資産を活用したことによる超過利益」とは、基本的活動による利益（無形資産を使用せずに得た利益）を上回る部分のことであり、これは無形資産を活用して得たものと考えられます。

ステップ1として、親子の合計利益から日本本社と国外関連者のそれぞれが基本的活動による利益を受け取ります。

ステップ2として、残った利益（残余利益）をそれぞれが有する無形資産の構築に要した費用（研究開発費など）の比率で按分します。

日本本社の研究開発費が2億円で、国外関連者の研究開発費が1億円であれば、残余利益を2：1の割合で分割することになります。

残余利益の分割ファクターの例

残余利益をどのような基準で分割すべきかという点に関して、「移転価格税制適用に当たっての参考事例集」の【事例23】に次が例示されています。

① 特許権、製造ノウハウ等、製造活動に用いられる無形資産：研究開発部門、製造部門の関係費用等

② ブランド、商標、販売網、顧客リスト等マーケティング活動に用いられる無形資産：広告宣伝部門、販売促進部門、マーケティング部門等の関係費用等

③ 事業判断、リスク管理、資金調達、営業に関するノウハウ等、前記①②以外の事業活動に用いられる無形資産：企画部門、業務部門、財務部門、営業部門等、活動主体となっている部門の関係費用等

製造ノウハウが無形資産であれば製造部門の経費、マーケティング力が無形資産であれば広告宣伝部門の経費などが分割ファクターとなり得るということです。

日本本社と国外関連者の双方に無形資産があることが条件

残余利益分割法は日本本社と国外関連者の両方に無形資産がある場合に採用できる方法です。

国外関連者の利益率が同業の一般的な水準より高い場合、親子間取引を通じて所得が移転しているのでなければ、国外関連者に無形資産があることになります。

国外関連者に所得移転が起きているのか、国外関連者に無形資産があるのか、どちらなのかという話につながってくることですが、先述の通り、個人的には中堅企業の国外関連者が無形資産をもっ

ているといえるケースは少ないと思います。

絶対ないとはいいませんが、設立から10年も経っていないような子会社が独自に無形資産といえるほどのものを構築することは難しいはずだからです。

買収して子会社化したケースは別として、多くの場合、無形資産は日本本社がすべて保有していると判断されるのではないでしょうか（その場合は取引単位営業利益法などの比較法を採用することになります）。

利益分割法は分割ファクターの客観性がネック

以上、3つの利益分割法について説明しました。

利益分割法は、分割ファクターをどのように設定するかで大きく結果が変わります。

明らかに国外関連者に所得移転が起きている（ようにみえる）ケースでも、分割ファクターの設定だけで、とりあえず「移転価格税制上の問題はない」と結論づけたローカルファイルをつくることは可能です。

ですが、それでは、その分割ファクターに客観性があるのか、言い方を変えれば税務当局がそれを認めるのかという根本的な問題を残してしまうことになりかねません。

利益分割法は「利益」というアウトプットを比例的に発生させるインプットが、かなりの程度で明らかな場合に限定して採用されるべき方法だと思います。

5　ディスカウント・キャッシュフロー法（DCF法：Discount-Cash-Flow-Method）

最後にディスカウント・キャッシュフロー法について説明します（図表12）。ＤＣＦ法は、国外関連取引から生じると予測される将来収益を適切な割引率によって現在価値に割り引く方法です。法律上限定されてはいないものの、ＤＣＦ法は基本的にはグループ企業内で事業譲渡や無形資産の譲渡取引を行う場面を想定した独立企業間価格算定方法です。あえていえばグループ間で債権譲渡や中古設備を売買する際に採用されることがあるかもしれません。

ちなみにロイヤリティーやライセンスフィーは無形資産の「貸与取引」によって生じるもので、無形資産の「使用料」とも呼ばれます。国外関連者に日本本社が保有する製造ノウハウや商標（ブランド）などの使用許諾を与える見返りとして受け取るものです。無形資産の貸与取引と譲渡取引を合わせて無形資産取引といい、年間取引額が３億円以上の場合は同時文書化義務を守らなければなりません。

予測収益、予測期間、割引率によって金額が大きく変わる

ＤＣＦ法で金額を算定するにあたっては、予測収益、予測期間、割引率の３つを決める必要があります。

〔図表12　ディスカウント・キャッシュフロー法〕

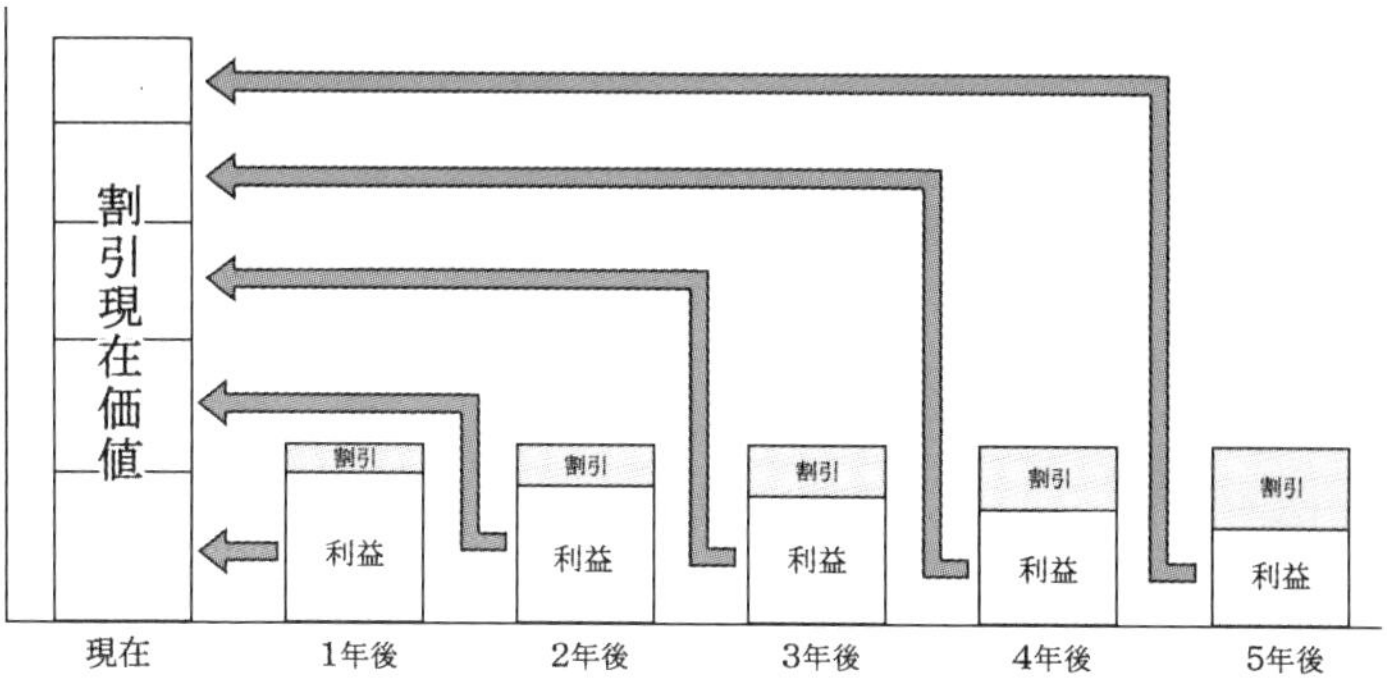

国外関連者から無形資産を購入する取引を例にとると、取得した無形資産を使用することによって各年の収益（利益）がどれくらい見込めるか（予測収益）、取得した無形資産から収益が上がると見込まれる期間はどれくらいか（予測期間）、将来の収益を何％で現在価値に割り引くか（割引率）を決めなければなりません。

割引率は企業の資金調達コストであり投資家の期待収益率でもある加重平均資本コストなど、ある程度市民権を得た数値がありますが、予測収益と予測期間は細心の注意を払って決める必要があります。

取引後一定期間経過した実績値と当初の予測値とのかい離が大きい場合、適切な予測を行っていたと証明できなければ実績値に基づいて譲渡価格を再計算される可能性があるからです。

これは企業が低税率国にある関連会社に特許権などを安く譲渡し、その後その特許権の価値が上がったとして多額の特許権収入をその関連会社に集中させるといった租税回避行為を防止するために税務当局に与えられた権限です。

ですので算定基礎資料をしっかり残した上で、事業計画書などの形にして役員会承認を得るといったエビデンスの証拠力を高めるための努力は不可欠でしょう。

6　片側検証と両側検証

絶対的にベストな算定方法は存在しない

ここまでで一通り、独立企業間価格算定方法の説明が終わりました。

移転価格税制では、ここまでに説明してきた独立企業間価格算定方法の中から最も適切な方法を選択することになっています。これは別の見方をすれば、様々な商品・製品、取引形態、市場環境がある中で、絶対的にベストな算定方法を1つに決めることはできないということを意味しています。

つまり、どの方法にも一長一短があるということです。例えば、独立価格比準法は最も説明力の強い算定方法と言われていますが、比較対象取引の選定が非常に難しいという短所を抱えています。

一方、寄与度利益分割法は社内にあるデータだけで独立企業間価格が算定できるという長所がありますが、分割ファクターの設定に主観が入ってしまうという短所を抱えています。

各方法の長所と短所を理解した上で、最終的にはどれかに決めることになるのですが、算定方法の選び方の話をする前に、独立企業間価格算定方法には片側検証の方法と両側検証の方法があるという話をしておきます。

片側検証、両側検証とは

原価基準法、再販売価格基準法、取引単位営業利益法は日本本社と国外関連者のうち、果たしている機能及び負担しているリスクが限定的な側の利益率を比較対象取引（企業）の利益率と比較する方法（片側検証）です。

多くの場合は国外関連者側を検証対象とすることになりますが、この場合、日本本社側の利益率については名目的には無視されます（ローカルファイルに日本本社側の利益率についての記載があらわれない）。

つまり国外関連者の利益率が一定レンジ内に入っていれば、日本本社の利益率が高くても、あるいは赤字であってもとりあえずは関係ないということです。正式に認められている方法ですので、それで構わないのですが、別の見方をすると、国外関連者の利益率を一定範囲に保つために、日本本社が赤字を出さざるを得なくなることもあり得るということです。

それに対して利益分割法は、日本本社と国外関連者の合算利益を何らかの要因で分割する方法（両側検証）ですので、片側しか検証しないという問題はクリアすることができます。

ですが、先述のように、今度は何の比率で合計利益を分割するのかという問題が起きます。

研究開発費や販管費の金額などを分割ファクターとするのですが、ここにはどうしても主観が入りますので、親子会社間同士だけでなく、両国の当局とも見解の相違が起きる可能性をはらんでいます。

片側検証において機能リスクが限定的なほうを検証する理由

片側検証の方法においては、日本本社と国外関連者のうち、果たしている機能と負っているリスクが相対的に単純な方を検証対象とするといいました。

その理由は比較可能性を担保するためです。

比較可能性を確保しようとするとき、果たしている機能と負っているリスクが単純であれば、それは比較的オーソドックスな企業といえますので、同じような機能とリスクを負担している企業を企業情報データベース等からみつけることができる可能性があります。

一方、複雑な機能を有し大きなリスクを負っている企業の比較対象企業をみつけることは困難です。多額の研究開発費を投じて開発し、大規模な設備投資を行って製造活動を行っているような企業はオンリーワンというべき存在だからです。

そのため原則として、機能・リスクが単純な側を検証対象とすることになります。

機能とリスクが限定的な企業は一定の利益率レンジに収まるべき

この背後には「高度で複雑な機能を担っており、同時に高いリスクを負っている企業が高収益や赤字であることは理解できるが、単純な機能を果たしているだけで限定的なリスクしか負っていない企業が高収益であったり赤字になったりするのは不自然」という暗黙の了解があると考えることができます。

例えば、日本本社の指示に従って受託生産しているだけで研究開発や販売マーケティング活動は行っておらず、在庫リスク等もほとんど負っていない国外関連者があるとします。

このような会社が業界平均を大きく上回る利益を上げているのは不自然だといえるでしょう。何らかの特殊要因でその年だけ利益が多いのであれば理解もできますが、そうでないのであれば、日本本社の製品購入価格が高すぎるのではないか、日本本社が受け取っているロイヤリティーが過少ではないか、という疑念を持たれても不思議はありません。

反対に、このような国外関連者が毎期大きな赤字を計上しているのも不自然だといえます。その場合は、現地の税務当局が、日本本社の製品購入価格が安すぎるのではないか、日本本社に払っているロイヤリティーに対価性はあるのかという疑念を持つ可能性があります。

このようなせめぎ合いの結果、機能とリスクが限定的な国外関連者は一定の利益率レンジ内に収まるようにしておこうという方針に落ち着くことが予想されます。

必ずしも国外関連者が検証対象になるとは限らない

日本本社と国外関連者のどちらを検証対象とするかは、親子間取引における機能・リスクを分析した結果によりますので、必ずしも国外関連者が検証対象になるとは限りません。

例えば、日本本社が1000名の会社で国外関連者が100名である場合、会社全体としては日本本社の方が複雑な機能を有しており、かつ大きなリスクを負っていると想像されますが、親子間取引に限定すると逆になることもあり得ます。

例えば、日本本社は買収して子会社化した国外関連者の製品を購入してはいるものの、製品自体は三国間貿易によってエンドユーザーに直送されており、日本本社は伝票処理をしているだけといった場合、親子間取引に限っていえば果たしている機能と負っているリスクは明らかに日本本社のほうが単純です。

このような場合は、日本本社側を検証対象とし、日本本社の比較対象企業の利益水準と比較することになります。会社の規模が大きいという表面的な理由で判断するのではなく、機能リスク分析をしっかり行って実質的な検証を行うことが重要ということです。

「片側検証」を鵜呑みにしてはいけない

また「片側検証」という言葉を額面通りに受け取るのも考えものです。

国外関連者が検証対象になったとして、国外関連者の利益率が独立企業間価格レンジ内に入ってさえいれば、日本本社サイドの利益率はどうでもいいという考えは極端です。

国外関連者の営業利益率が7%で独立企業間価格レンジ内であったとしても、日本本社の営業利益率が15%の場合と赤字の場合では印象が全く異なります。

日本側でも十分に利益が出ているのであれば、ビジネス自体が好調ということで国外関連者への所得移転はなさそうにみえますが、日本本社が赤字にも関わらず国外関連者側で利益が7%も出ているのであれば、調査官は国外関連者への所得移転を疑うはずです。

ローカルファイルをつくっていたとしても簡単には認めてもらえず、追加説明が必要になってくるでしょう。

名目的には国外関連者の営業利益率が独立企業間価格レンジ内に入っていればOKということですが、だからといって日本本社サイドを全く無視していいということにはなりません。

これは別の言い方をすれば、利益水準だけでなく、お互いの利益配分についても検証しておく必要があるということです。

少し前に国外関連者の利益率を一定範囲に保つために、日本本社が赤字を出さざるを得なくなることもあり得るとお伝えしましたが、それは国外関連者の利益率を一定範囲に保つために国外関連者を支援することに直結する話ですので、日本サイドの税務リスクは当然高くなります。

「国外関連者は負っているリスクが小さいので一定の利益率レンジ内に収まるが、日本本社は大きなリスクを負っているので赤字になることもあり得る」という全体的な話は理解されても、国外関連者を一定の利益率レンジに収めるために行った個々の施策（国外関連者向け販売価格の値下げなど）については、所得の移転または子会社支援として否認される可能性があります。

親子間の取引価格を修正するにしても、期末間際になってから期首までさかのぼるなどの露骨な方法ではなく、事前の取り決めに従った機械的な調整であると説明できるように準備しておきましょう。

7 算定方法の選び方

どのように算定方法を決めればいいのか

ここまでの知識を踏まえた上で、独立企業間価格算定方法をどのように選定すればいいのかを考えてみます。

大半の企業は取引単位営業利益法を採用していますが、最初から決めつけるべきではなく、すべての算定方法を検討する必要があります。

日本本社と国外関連者の取引内容を整理した上で、両者の機能とリスクを分析し、無形資産の有無を判定します。

そして比較法については十分な比較可能性を持つ取引（企業）がみつかるかどうか、利益分割法については適切な分割ファクターがみつかるかどうかを検証することになります。

建前としてはそうなのですが、初めて文書化に取り組む際に「さあ、最適な方法を選べ」といわれても困ると思います。やはり何らかの指針が欲しいのではないでしょうか。

そこで本項では、かなり割り切った形で独立企業間価格算定方法の選定プロセスをご紹介します。実際は個別ケースに応じて判断するものですので、1つの参考としてご確認ください。

Step1：取引単位営業利益法の適用可能性を検討

「最初から決めつけるべきではない」といった直後に決めつけていますが、まずは取引単位営業利益法の適用可能性を検討しましょう。

日系中堅企業の場合、日本本社が中核企業として圧倒的に重要な役割を果たしており、国外関連者は日本本社の指示に従って比較的単純な機能を果たしていることが多いです。

日本本社から製造ノウハウの提供を受けて、自らは研究開発活動を行わずに低い人件費を活かして製造活動を行っている国外関連者や、日本本社が製造した製品を単純に転売している国外関連者が多いということです。

このことを移転価格税制に則した表現に置き換えると、「機能とリスクは国外関連者のほうが限定的」「国外関連者は製造ノウハウなどの無形資産を保有していない」となります。

これは国外関連者を検証対象とする取引単位営業利益法を適用しやすい状況です。

先述の通り、取引単位営業利益法は日本本社と国外関連者のうち機能リスクが限定な側の営業利益の水準を検証します。

国外関連者の方が機能とリスクが単純で、無形資産も保有していないのであれば、国外関連者の営業利益率を比較対象企業と比較し、独立企業間価格レンジ内に入っていれば移転価格上の問題はないと説明できる可能性があります。

Step2：基本三法を採用しない理由は「比較可能性が不十分」

独立価格比準法などの基本三法は、一般的に取引単位営業利益法よりも比較対象取引に求められる要件が厳格であるため、「そのような取引を見つけることはできなかった」という理由で不採用とすることが多いです。

基本三法が採用できないので、取引単位営業利益法、利益分割法、DCF法の中から選ぶことになります。

Step3：利益分割法を採用しない理由は「適切な分割ファクターがない」

利益分割法は、「適切な分割ファクターを見つけることができなかった」という理由で不採用にすることが多いです。これについては便宜でも何でもなく、本当に適切な分割ファクターがないことも多いと思います。

Step4：DCF法を採用しない理由は「不確実な将来予測値を用いるべきではない」

DCF法は、「不確実な将来予測値を用いるのは不適切」という理由で不採用にしましょう。

これで取引単位営業利益法が残りましたので、「すべての算定方法を検証した結果、取引単位営業利益法が最適な方法と判断した」とローカルファイルに記載できることになります。どちらかというと消去法的な選定プロセスといえるでしょう。

Step5：国外関連者の利益率が高い場合は残余利益分割法を検討

国外関連者の利益率が高い場合、取引単位営業利益法では説明がつかないことがあります。国外関連者への所得移転がないにもかかわらず国外関連者の利益率が同業者の平均水準より高いということは、国外関連者に無形資産があるということです。

日本本社と国外関連者の両方に無形資産がある場合は、残余利益分割法を検討することになります。取引単位営業利益法より計算が複雑ですし、分割ファクターの妥当性を巡って税務当局と見解の違いが生じる可能性もありますが、所得移転が起きていないのであれば国外関連者に無形資産があると主張する以外にありません。

ただ実例をみていると、国外関連者の経営が苦しかった頃に安値で販売した習慣が現在も続いていたり、国外関連者の利益率を気にせずに国外関連者が製造した製品を購入しているというケースが多いように思います。単に移転価格税制のことを何も考えていないだけということです。

国外関連者に無形資産があるというストーリーでいくのか、製品商品の取引価格やロイヤリティー料率の見直しが必要なのか、これを機に社内で検討してみてはいかがでしょうか。

Step6：比較対象取引がない場合は寄与度利益分割法を検討

比較対象取引がどうしても見つからないのであれば、企業の内部データのみで計算する寄与度利益分割法を検討しましょう。

分割ファクターの比率が少し変わるだけで計算結果が大きく変わりますので、最後の手段というべき方法ですが、それでも寄与度利益分割法を採用するのであれば、分割ファクターの妥当性をあの手この手で説明できるように準備をしておきましょう。

すべての方法を一通り検証しておこう

フローチャート的な説明をしましたが、これはあくまでも算定方法選定プロセスの一例です。実際はそれぞれの算定方法を理解した上で、ケースバイケースに最適な方法を選択しなければなりません。消去法的に取引単位営業利益法を選択すること自体は容易ですが、それで本当にいいのか疑う気持ちは必要だと思います。

また取引単位営業利益法を採用するとしても、たまたま営業利益率レンジ内に入っていたのか、グループ方針として営業利益率を一定レンジ内に収める努力を行った結果なのかは大きな違いです。偶然レンジ内に入っていただけであれば、その年はよくても、翌年以降の保証がありません。取引単位営業利益法を採用するのであれば、「今後は営業利益率を○％～△％の範囲に収める」という移転価格ポリシーもセットで導入しましょう。

「営業利益率レンジに入ればいい」だけでは議論が浅い

ビジネスが置かれた環境は様々です。

子会社サイド、営業部門サイド、合弁先などそれぞれの立場の事情がありますので、「この営業利益率レンジ内に収めておくように」といっても簡単にはいかないこともあるでしょう。

このようなときに短期的、長期的にどのように対応していくかが重要です。

営業利益率レンジ内に収まらないときにどうすればいいかについて、ワンパターンの正解はありません。売上高総利益率で再検証するのか、営業利益率が増減した理由を調べて異常な要因があればその部分を調整するのか、後述する切り出し損益の作成方法を再検討するのか、あるいは取引価格の見直しが必要なのか、「自社なりの対処法」を考えるしかありません。

海外でビジネスを続けていく以上はずっとついて回る問題ですので、会社の中に移転価格税制に対応できる体制をつくって継続的にノウハウを蓄積していく以外に方法はなく、そしてそれが回り道のようにみえて結局は近道なのだと思います。

算定方法の見直しも必要

また一度決めた算定方法も永遠にそのままではなく、事業環境の変化に応じて再検討することも必要です。

規模が小さい企業ほど、ほんの数年間で親子間取引の規模や国外関連者の役割、取引フロー、製造している製品の種類などがガラッと変わる傾向があるようです。

移転価格税制に関する基本的な考え方を身につけた上で、ビジネスの実態に合った説明ができているかどうかを定期的に確認するようにしましょう。

親子間取引の細かい実務は自分たちで決めていい

移転価格税制を始めて学習する方は、独立企業間価格なんてどうやって決めるのかと思うかもしれませんが、実際は本章でお伝えした程度の大ざっぱなルールが決まっているだけです。

世の中には様々な業種があり、親子間取引の内容も様々です。業種ごとに法律をつくるわけにはいきませんので、どうしてもざっくりとしたルールになってしまうのです。

他の税制はもっと細かくルールが決まっていますので、やはり移転価格税制は毛色が違います。私も経理や税務というよりは財務に近い感覚をもっています。

どの独立企業価格算定方法を採用するかということは大方針に過ぎず、単価の更新をいつ行うかといった親子間取引に関する細かな実務は自分たちで決めなければなりません。

これは逆の言い方をすれば、大方針に反しない限り細かい実務は自分たちで決めていいということです。関連各部門が必要な知識を身に着けた上で、移転価格税制上の問題がない親子間取引のあり方を全社的に検討していくことが重要です。

4章

移転価格対応を進めるための追加知識

1　切り出し損益について

親子間取引に関係する部分を切り出す

移転価格検証においては1つひとつの棚卸資産取引を個々に検証することは現実的ではないため、親子間取引を1つのまとまりと考えて、その「まとまり」の利益水準を検証することが普通です。

会社全体の損益計算書は親子間取引以外の取引を含んだ合計数字で作成されていますので、親子間取引からどれだけの利益を得ているのかを切り出す作業が必要になります。

その切り出した結果の損益計算書のことを、切り出し損益（切り出しPL）といいます（図表13）。管理会計における部門別損益や、セグメント別損益と似たイメージのものです。

取引単位営業利益法などの片側検証の方法であれば、国外関連者か日本本社のどちらかの切り出し損益を作成し、その切り出し損益の利益率が独立企業間価格レンジ内にあるかどうかを検証します。

利益分割法の場合は双方の切り出し損益を作成し、それらの営業利益を合計した上で、分割ファクターを使って分割します。

本項では、切り出し損益を作成する上での留意事項をお伝えします。

〔図表13　切り出し損益〕

	全体	日本本社との取引	非関連者間取引
売上	5,000	3,000	2,000
売上原価	4,000	2,500	1,500
売上総利益	1,000	500	500
販管費	600	200	400
営業利益	400	300	100
（営業利益率）	（8%）	（10%）	（5%）

切り出し損益を作成しないことの問題点

切り出し損益を作成しなければ、不適切な分析結果になることも考えられます。

例えば、国外関連者が2つの事業を行っており、1つは日本本社との取引がある事業で、もう1つは国外関連者の独自事業だとします。親子間取引だけを切り出せば独立企業間価格レンジに収まっているが、もう1つの事業を含めて国外関連者全体でみると利益率レンジ内に収まっていないこともあり得ます。

国外関連者が日本本社とは関係のないビジネスで利益を上げているのであれば、それは親子間取引を通じて所得移転が生じているのではありませんので、その部分は除外して移転価格分析を行わなければなりません。

あるいは2つの事業がともに日本本社と取引がある場合において、国外関連者全体の利益率に問題がなくても、切り出し損益を作成してそれぞれの事業の利益率を検証すれば問題が見つかることもあり得ます。

A事業は利益率レンジ内であってもB事業がレンジから外れている

のであれば、B事業の部分だけを指摘される可能性があるという意味です。

これは国外関連者サイドでも同様です。

ある新興国の会計事務所で聞いた話ですが、その国における移転価格調査において、以前は会社全体の利益率のみをチェックしていたが、最近は切り出し損益の提出が要求され、問題がある事業のみについて追徴課税が行われる事例が出てきているとのことです。

国外関連者が会社全体として十分な利益を出していても、現地サイドの移転価格リスクがないとは言い切れない時代になってきているようです。

原則として営業損益まで算出

切り出し損益は営業損益まで算出することが原則です。売上総利益までは販売システム等から引っ張ってこれることがありますが、販管費については配賦計算が必要です。

販管費を売上高の比率で一括配賦する方法でも一応作成できますが、より精緻な切り出し損益を作成するのであれば、親子間取引に直課できる分は直課し、残りを配賦することになります。

配賦基準は売上高以外にも、人件費比率や減価償却費比率なども考えられます。既に部門別損益計算書などをつくっているのであれば、その配賦基準を活用するのもいいアイデアです。

いずれにせよ、切り出し損益をどのようなプロセスで作成したかについての資料を残しておき、税務調査時に説明できるようにしておきましょう。

また一度決めた計算方法を恣意的に変更することは避けましょう。

外部コンサルタントより企業自身がつくったほうが早くて正確

切り出し損益にどこまでの精度を求めるかは状況しだいですが、外部コンサルよりも企業自身がつくったほうが早くて正確なものが作成できることは間違いありません。

精緻な切り出し損益をつくるとは、例えば、

・Aさん、Fさん、Zさんは日本本社向けのビジネスに専念しているから3人の人件費を直課する
・C倉庫、E倉庫は日本本社向け専用に借りているから倉庫料を直課する
・機械D、機械Xは日本本社向け製品製造専用だから減価償却費を直課する

といった勘定科目の具体的な中身を精査するということです。

現実的には金額の大きい科目を詳しく調べて残りは配賦することになりますが、外部のコンサルタントが「Aさんが日本向けに専念しているかどうか」といったことまで把握することは大変ですので、企業自身が作成したほうが早いでしょう。

このような面からもローカルファイルを自社で作成することのメリットが理解できます。

操作の余地あり？

切り出し損益は一種の管理会計ですので絶対的な作成基準が決まっている訳ではありません。売

上総利益までは割としっかり決まると思いますが、販管費の直課と配賦については判断の余地（もっといえば操作の余地）がある部分かなと思います。

国外関連者の利益率が高過ぎるという疑いを指摘されて切り出し損益をつくる場合、企業サイドとしては当然、「国外関連者の切り出し損益の利益率はそこまで高くなかった」という結論が欲しい訳です。

そんなときは販管費の配賦方法を嘘とはいえない程度に工夫することによって、追徴課税を受けるとしても減額交渉ができる場合があります。あの手この手で交渉することも実務においては重要です。

とはいえ、会社全体の利益率を使うこともある

売上額や仕入額の大半が日本本社との取引という国外関連者も多いです。

そのような場合に、あえて切り出し損益を作成するかは個別に判断が必要です。金額的・割合的重要性が低いという理由で、切り出し損益は作成せずに国外関連者の損益計算書全体の利益率を検証することもあります。

ちなみに国税庁が発表した「ローカルファイル例示集」のＰ18には、国外関連者の仕入の全額が日本本社からのものである場合等には、国外関連者全体の損益計算書を使ってよいと書かれています。

日本本社と国外関連者の決算月がズレている場合ですが、日本本社の税務調査対策として作成するローカルファイルは、日本本社の特定年度の課税所得が適正かどうかを検証するためのものですので、日本本社の決算期に合わせるほうがより正確です。

精緻につくるのであれば国外関連者の切り出し損益を月別に作成して期間を調節することになります。

また国外関連者側の切り出し損益を作成するためには国外関連者側での作業が必要になることもありますので、そのあたりの協力が得られるかどうかも検討項目の1つです。

切り出し損益を作成するかどうか、どこまで精緻に作成するかは、最終的には各社の判断になります。

子会社間取引の切り出しの提出が求められる理由

移転価格調査においては、国外関連者同士の取引の切り出し損益の提出を求められることがあります。

タイとシンガポールに国外関連者を持つ場合であれば、タイ子会社とシンガポール子会社の取引の切り出し損益という意味です。

切り出し損益を調べるということは子会社間取引の総額と両者の利益水準を知りたいということですが、日本本社の税務調査とどのような関係があるのでしょうか。

国外関連者の営業利益率に歪みがないか

可能性として、第2章でも説明した「所得移転の連鎖」が起きていないかを調べることが挙げられます。

日本本社とタイ子会社との取引に係るローカルファイルにおいて、「タイ子会社の営業利益率は独立企業間価格レンジ内である」と説明されていても、その営業利益率がタイからシンガポールに所得移転が起きた後の数値であれば、そのローカルファイルの分析結果は不適切かもしれません。

そこで両者の切り出し損益の利益率を確認する必要が生じます。

タイ子会社からシンガポール子会社に所得移転が起きているのであれば、タイ子会社の切り出し損益の利益率は赤字または低水準となっていて、反対にシンガポール子会社の切り出し損益の利益率は高くなっているはずです。

タイ子会社とシンガポール子会社が独立企業間価格で取引していないのであれば、タイ子会社の比較対象企業の平均営業利益率を使う等の方法によりタイ子会社の営業利益率を修正する必要が出てきます。

そして修正後の数字を使って日本本社とタイ子会社との取引を再検証すると、タイ子会社の営業利益率は独立企業間価格レンジを超えているかもしれません。

つまり、このケースでは、日本↓タイ↓シンガポールと所得移転の連鎖が起きており、結局のところ日本サイドにおいて移転価格税制上の問題が生じているという結論になります。

日本本社がグループ全体の移転価格リスクをコントロールすべき

海外進出が進んでくると、関税や現地調達比率の確保などの理由から国外関連者同士の取引が増えてくることがあります。

移転価格税制は日本特有の制度ではなく各国に存在しますので、国外関連者サイドの移転価格リスクにも気を配る必要があります。

他の税目は各社に任せればいいと思いますが、移転価格税制については価格決定権がある日本本社がリーダーシップを発揮すべきです。

移転価格税制の内容自体は各国でそれほど変わりませんので、まずは日本本社が移転価格税制に関する知識を身に着けて、各国の専門家とも相談しながらグループ間取引の価格をどのように設定するかを決めていきましょう。

最後の手段の三国間貿易？

国外関連者Aで製造して国外関連者Bに販売するというOut-Outの商流の場合、多くの日本本社は「国外関連者Aの売上の○％」という形でロイヤリティーを受け取っています。

しかし、非常に粗利益が取れる製品の場合、ロイヤリティー料率を相当高くしないと国外関連者Aの営業利益率が独立企業間価格レンジ内に収まらないことがあります。さらに、この高額なロイヤリティーの損金算入を国外関連者Aサイドの現地当局が認めず、追徴課税に至るという悩ましい問題があります。

そんなときは、製品自体は国外関連者Aから国外関連者Bに直送しつつも、伝票上は国外関連者A⇒日本本社⇒国外関連者Bという三国間貿易に切り替えることが考えられます。日本本社との直接取引にすることによって、日本本社はロイヤリティーではなく、棚卸資産の売買差益という形で利益を受け取ることができます。

すべてのケースに適用できる訳ではありませんが、こういう選択肢があることは知っておきましょう。

2 企業情報データベース

世界60ヶ国以上の税務当局で使用されているデータベース

ここまでに何度か出てきた企業情報データベースについて説明します。

比較対象企業を選定する際において、有価証券報告書等の公開資料から自力で財務データを調べることもできなくはありませんが、海外企業の財務データが必要になることも多いので、その場合は世界中の企業の財務データが収録されたデータベースを使用します。

移転価格の世界ではビューロー・ヴァン・ダイク社のデータベースが有名です。

これは世界各国の信用調査会社から集めた企業情報に共通番号を付して整理分類したもので、世界60ヶ国以上の税務当局でも採用されているデータベースです。

税務当局と同じものを使っておけばデータの信ぴょう性について疑義を抱かれることはないだろうという考えから、当事務所も基本的には同社のデータベースを使用しています。

正確には顧問先企業に同社のデータベースを購入していただいていますが、年間契約をせずに必要なデータベースだけを購入できるプランがありますので、コストのカベはクリアしやすくなってきていると思います。

移転価格対応に大きな予算を割けない企業にとってはありがたいことです。

定量基準と定性基準

このデータベースには数億社の企業データが入っているのですが、そこから定量基準と定性基準という2つの基準によって絞り込み（スクリーニング）をかけていきます。

①定量基準による絞り込み

まず定量基準によって、ある程度の企業数になるまで絞り込みを行います。定量基準の例には次があります。

・国と地域
・産業分類コード
・製造業、卸売、小売の区分

・上場、未上場の区分
・他の企業に50％以上株式を所有されている企業は除外
・3期連続で営業赤字の企業は除外
・売上高が国外関連者の10倍以上または10分の1以下の企業は除外
・売上高研究開発費比率が1％以上の企業は除外

すべての企業の共通する定量基準を一律に決めることはできませんので、試行錯誤をしながら自社なりの基準を決めていく必要があります。

②定性基準による絞り込み

定量基準によって比較対象企業の候補が選定されたら、次は定性基準による絞り込みを行います。定性基準とはその名の通り、定性的な情報によって比較可能性の高い企業を選ぶということです。より正確な表現をすると、比較可能性の高い企業を選ぶのではなく、比較可能性が低い企業を除外していきます。

データベースに記載されている情報、WEBサイト、国外関連者へのヒアリング等のあらゆる情報を駆使して、製品の類似性、市場の同一性、機能・リスクの類似性、無形資産の有無等を検証し、比較可能性が低い企業を除外していきます。

ウリ二つの企業は存在しませんので、どうしてもある程度の違和感が残るものですが、それでも十分な比較可能性があると判断できる企業を10～20社ほど残すことになります。

〔図表14　四分位レンジとフルレンジ〕

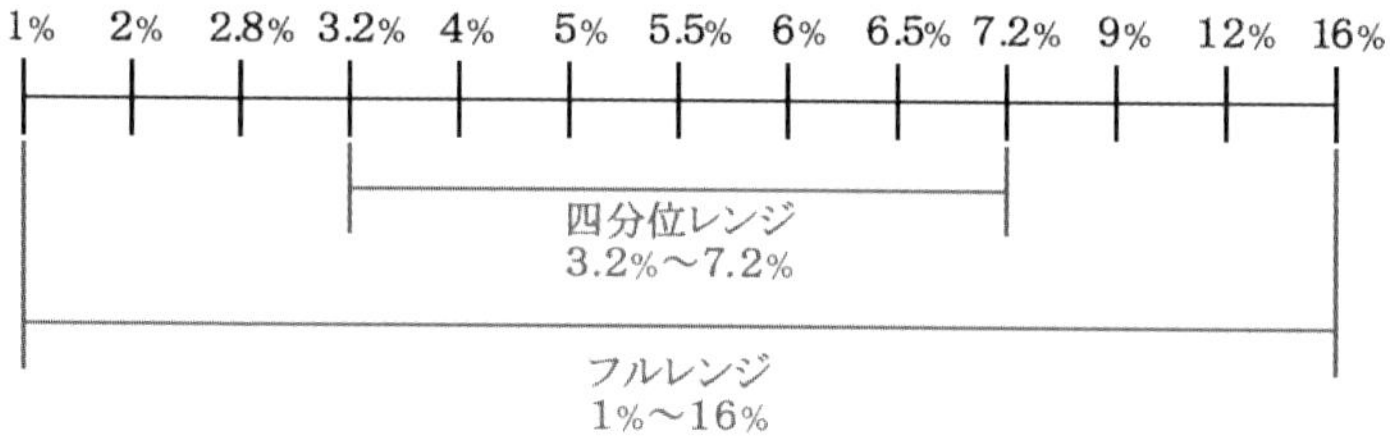

四分位レンジとフルレンジ

そしてそれらの企業の利益率（一般的には複数年度の加重平均営業利益率）を算定し、上位25％と下位25％を除外した真ん中の50％部分（四分位レンジ）を独立企業間価格レンジとして採用することになります（図表14）。

国税庁は上位25％と下位25％を切り捨てないフルレンジを基本方針としています。

これは比較対象企業はすべて十分な比較可能性をもっているのだから、四分位レンジという統計的手法を採用する必要はないという考えだと思います。

ですが、平成31年度の税制改正において、「合理的な差異調整ができない場合は四分位レンジを採用できる」と明記されました。フルレンジだと幅が大きくなり過ぎるので、実務に配慮して現実的な判断をしたのだと思われます。

そして実務においては、基本的には四分位レンジが使われています。フルレンジを使うのは比較対象取引が数個しか見つからなかった場合などに限られると思います。

選定結果は人によって異なる

比較対象企業の選定を行う際において、異なる人が行った選定結果が同じになることは考えにくいです。税務当局が行った場合、コンサルが行った場合、企業が自分で行った場合で結果は異なります。

スクリーニングについての一律の基準がないのですから当然ですし、比較可能性を追求するといいながらも、実際のところは独立企業間価格レンジを高めにしたい、低めにしたいという各自の思惑もはたらくからです。

産業分類は絶対的なものではない

ビューロー・ヴァン・ダイク社のデータベースに収録されている企業には、アメリカの標準産業分類コードである「US-SIC コード」という4桁の番号が割り振られています。

金属加工品製造業であれば３４４４、

電気機械器具卸売業であれば５０６３

という感じです。スクリーニングの初期段階でこのコードの中からいくつか選ぶことになるのですが、どこかの産業分類コードにピタッとくる企業ばかりではありません。

絵に描いたような「金属加工品製造業」であれば迷わず「３４４４」に分類できますが、複数の事業を行っている場合など判断に迷うケースは多いはずです。

つまり、各国の信用調査会社が「えいや」で分類したものを使うということですので、産業分類コードをどのように選択するかもケースバイケースです。

試行錯誤して自社なりのスクリーニング方法を見つけ出そう

ですので、スクリーニングは、選定結果ではなく選定プロセスを理解することが重要です。税理士法人や税務当局が行ったスクリーニング結果をみて、「ウチの場合はこれが正しいやり方なんだ」と鵜呑みにしてはいけません。

抽出プロセスをよく検証すると、「なぜこの産業分類コードを選んだのか」などの疑問点がたくさん出てくるはずです。

あくまで1つの例に過ぎないと考えておきましょう。

当事務所のやり方ですが、第一段階としてビューロー社と私と顧問先企業で集まって大まかな定量基準によって数百社程度の企業情報を購入し、その後は私と顧問先企業とのやり取りで試行錯誤をしながら絞り込んでいくという流れです。

当事務所は「移転価格対応の内製化支援」がコンサルティングコンセプトですので、次回以降は企業自身で比較対象企業を選定できるようになっていただく必要があります。

そのために初回は財務データを触りながら、「あ～でもない。こ～でもない」と試行錯誤しておくことが大事だと考えています。

比較対象企業の数を確保しておこう

比較可能性を高めるためという理由で選定作業を行いますが、それでも最終的に残った比較対象企業と国外関連者の違いはいくらでもあります。

したがって比較対象企業のリストを提出したとき、比較可能性がないと指摘される可能性は常にあります。そのときに備えて比較対象企業の数はある程度確保しておきたいところです。

比較対象企業が4～5社しかない中で、そのうち1～2社の比較可能性を否定されると独立企業間価格レンジが大きく変わってしまうからです。できれば10社以上は残したいところです。

「比較可能性が十分であれば比較対象企業は1社でもいい」という考え方もありますが、それは机上の空論に思えます。

他を検討する必要がないほどそっくりな企業を見つけることなどできるはずがありません。

仮に国外関連者との比較可能性が相当に高い企業が見つかったとしても、その企業の営業利益率が20％もあるとすれば、税務当局は何とかして比較可能性がないという証拠を探すでしょう。

やはりある程度の数の比較対象企業を確保しておき、何社か否定されてもレンジが大きく動かないように備えておくほうがいいと思います。

公示地価のように「この業種の独立企業間価格レンジは○％～△％」という情報が公表されていれば楽ですが、そのような制度になる可能性は低そうですので、自分たちで比較対象企業を探す作業がどうしても必要になってきます。

比較可能性を検証する際の具体的チェックポイント

比較対象企業は「比較可能性があるかどうか」という観点で絞り込んでいきますが、具体的にはどのようなことに注意すべきでしょうか。

この点については次の規定があります（図表15）。

外部企業のことですので、手に入る情報に限界はありますが、比較対象企業を決める際の参考としてご確認ください。

複数年データの使用と複数年度検証

取引単位営業利益法等を適用する場合、比較対象企業の利益率レンジと、日本本社または国外関連者の切り出しＰＬの営業利益率等を比較することになりますが、このときに使うデータが単年度のものか複数年間のものなのかは正しく理解する必要があります。

租税特別措置法第66条の４において、各事業年度において親子間取引が独立企業間価格で行われず、税収が減少した場合は、独立企業間価格で取引をしたとみなすと規定されていますので、日本の移転価格税制は単年度検証が基本です。

つまり国外関連者（または日本本社）の２０１９年〜２０２１年の平均利益率がレンジ内に入っているから移転価格税制上の問題はないという説明（複数年度検証）は基本的には認められていません。

〔図表 15　租税特別措置法関係通達第66の４（３）－３〕

措置法第 66 条の４の規定の適用上、比較対象取引に該当するか否かにつき国外関連取引と非関連者間取引との類似性の程度を判断する場合には、例えば、法人、国外関連者及び非関連の事業の内容等並びに次に掲げる諸要素の類似性を勘案することに留意する。

（１）棚卸資産の種類、役務の内容等

（２）売手又は買手の果たす機能

（３）契約条件

（４）市場の状況

（５）売手又は買手の事業戦略

（注）

１　（２）の売手又は買手の果たす機能の類似性については、売手又は買手の負担するリスク、売手又は買手の使用する無形資産等も考慮して判断する。

２　（４）の市場の状況の類似性については、取引段階（小売り又は卸売り、一次問屋又は二次問屋等の別をいう。）、取引規模、取引時期、政府の政策（法令、行政処分、行政指導その他の行政上の行為による価格に対する規制、金利に対する規制、使用料等の支払に対する規制、補助金の交付、ダンピングを防止するための課税、外国為替の管理等の政策をいう。）の影響等も考慮して判断する。

３（５）の売手又は買手の事業戦略の類似性については、売手又は買手の市場への参入時期等も考慮して判断する。

一方、比較対象企業の財務データは複数年間の加重平均利益率を使うことが可能（というより一般的）です。

つまり国外関連者（または日本本社）の2022年の単年度検証を行う際に、比較対象企業の2019年~2021年の3年間の加重平均利益率を使うということです。

ただし、複数年度検証が認められるケースもあります。

親子間取引の対象となる棚卸資産等の価格が需要の変化や製品ライフサイクルの影響で相当程度変動するため、単年度検証が適切でないと認められる場合は複数年度の平均値等を基礎として検討すると規定されています（移転価格事務運営要領3－2（2））。

自動車部品など複数年サイクルで回っている場合や設備関連など需要の波が大きい業種では複数年度検証もあり得ることになりますが、単一製品をつくっているようなケースでない限り利益率は平準化されていきますので、よほどのケースでなければ単年度検証を行うべきだと思います。

3 「取引単位」の議論

移転価格検証を行う単位のこと

切り出し損益の項で、1つひとつの棚卸資産取引を個々に検証することは現実的ではないため、親子間取引を1つのまとまりと考えて、その「まとまり」の利益水準を検証することが普通と説明しました。

移転価格検証の対象となる「まとまり」のことを取引単位といいます。

この「取引単位」をどのように設定するかは移転価格分析において非常に重要です。設定の仕方によって、移転価格上の問題があるという結論になったり、ないという結論になったりすることが起こり得るからです。ちなみに「取引単位」営業利益法とは、本項で解説する1つのまとまりとしての「取引単位」の営業利益率を検証する方法という意味です。

棚卸資産取引と役務提供取引をまとめる場合

同じカテゴリーに属する棚卸資産取引をひとまとめにするという考え方は理解しやすいと思います。

国外関連者が電子部品をつくっているとして、親子間の電子部品取引全体をまとまり（取引単位）と考えて、その利益率を検証するということです。

電子部品の種類が何百もある中で、1つひとつの部品の単価を個別に検証することは難しいため、必然的にこのような検証方法になります。

これはもっとも単純なケースですが、実務においては棚卸資産取引と役務提供取引を1つのまとまりと考えることもあります。

例えば、日本本社が国外関連者のために電子部品を製造するための図面を作成し、完成した製品を日本本社が買っているのであれば、親子間において棚卸資産取引と役務提供取引の両方が行われていることになります。

棚卸資産取引と役務提供取引を別々に検証するのか、一体的に検証するのかは個々のケースに応じて適切に判断しなければなりません。

国外関連者が電子部品を製造するためには日本本社からの図面提供は不可欠と思われますので、このケースでは棚卸資産取引と役務提供取引を不可分一体の取引として考えた上で検証するほうが妥当といえるでしょう。

一方、日本本社が提供している役務提供の内容が電子部品の製造とは関係が薄い場合（例えば国外関連者の会計システムの構築支援）は、電子部品の棚卸資産取引と役務提供取引は別々に検証すべきといえます。

棚卸資産取引と無形資産取引をまとめる場合

棚卸資産取引と無形資産取引（ロイヤリティーの収受）を一体検証することも考えられます。

国外関連者が製造した電子部品を買い取ると同時に国外関連者から製造ノウハウの使用許諾料としてロイヤリティーを受け取っている場合、その製造ノウハウが電子部品を製造するために必要不可欠なものであるならば、棚卸資産取引と無形資産取引を不可分一体のものと考えることができます。

このケースにおいて国外関連者を検証対象とする取引単位営業利益法を採用したのであれば、ロイヤリティー支払い後の営業利益率を国外関連者の比較対象企業と比較することになります。

そして独立企業間価格レンジ内に収まっているのであれば、棚卸資産取引と無形資産取引を一体検証した結果、移転価格税制上の問題はなかったという結論を出します。

無形資産をもたない国外関連者と比較可能性を有する企業を選ぶのですから、比較対象企業は無形資産を保有していないと考えられます。

そのため、比較対象企業の利益率レンジ内に国外関連者の利益率が入っているということは、ロイヤリティーによって超過収益の回収が行われた結果、国外関連者の利益水準が無形資産をもたない標準的な企業と同程度になったということを意味しています。

一方、国外関連者から支払われているロイヤリティーが電子部品の製造とは直接関係のない内容である場合は、棚卸資産取引と無形資産取引を別々に検証することになります。

棚卸資産取引と棚卸資産取引をまとめる場合

複数の製品カテゴリーの棚卸資産取引をまとめて検証することもあり得ます。

国外関連者から製品カテゴリーAと製品カテゴリーBに属する製品を購入している場合、通常は別々に検証します。

しかしプリンターとトナーの関係に例えられるような、両者をセットで検証したほうが適切という状況も考えられます。

プリンター本体は安く供給してトナーで儲けるというビジネスモデルの場合、トナー取引だけをみると国外関連者は利益率が高すぎるようにみえても、プリンター取引とセットで検証すると適正水準かもしれません。

であればプリンター取引とトナー取引を1つのまとまりと考えて、その利益率の水準を検証すべきといえるでしょう。

一体検証が適切なケースは多い

移転価格税制では、それぞれの親子間取引を個別に検証することが原則です。

ですが、上述のように取引実態を検証した上で適切と判断したのであれば、複数の親子間取引をひとまとまりと考えて一体検証することも認められています。

中堅企業の国外関連者の事業は比較的シンプルで、日本本社からの製造ノウハウの提供や技術指導もその事業のためだけに提供されていることが多いです。

親子間取引の内容は企業によって様々であり、取引単位をどのように設定するかは個別に判断する必要がありますが、日系中堅企業の場合は一体検証できることが多いといえるでしょう。

実際、当事務所の顧問先企業も多くの場合は、棚卸資産取引と役務提供取引や無形資産取引を一体検証するという判断をしています。

4　移転価格税制上の問題があるケースとないケース

本項では移転価格税制上の問題がある場合とない場合について、具体的な事例にあてはめて考えてみたいと思います。

取引価格の設定方法に問題があるケース

図表16のA国子会社は、最終製品に組み込まれる共通パーツを製造し、グループ各社に販売しています。売上の１００％がグループ企業向けであるにも関わらず、毎年営業赤字を計上しています。

なぜそのようなことが起きているのか調べてみると、共通パーツの取引価格の設定方法に問題があることがわかりました。

共通パーツの取引価格を「グループ各社が受注した最終製品価格の20％」という決め方にしていたのです。最終製品価格が１００万円であれば共通パーツは20万円、３００万円であれば60万円という意味です。

この方法ではA国子会社の製造コストが考慮されませんので、結果的に赤字になっていたのです。

このケースでA国当局向けのローカルファイルを普通につくると要旨は次のようになるでしょう。

・A国子会社を検証対象とする取引単位営業利益法を採用

〔図表16　取引価格の設定方法に問題あり〕

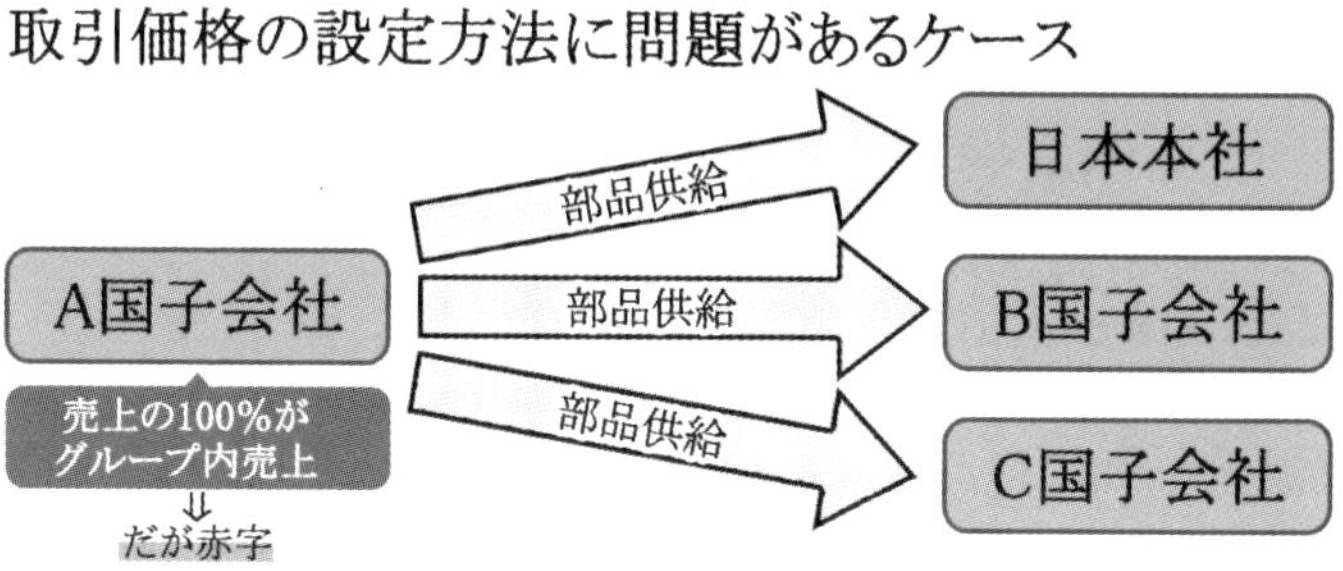

・A国子会社の比較対象企業の四分位レンジを算出（例えば2％～7％）

・A国子会社の営業利益率はレンジ内に入っていないため移転価格税制上の問題あり

移転価格税制上の問題があるという結論ですが、どのように対処すればいいでしょうか。

原価基準法や利益分割法など他の算定方法を検討すべきでしょうか。それともA国子会社の決算の中に異常な項目があり、それを除外すれば四分位レンジ内に収まっていると説明すべきでしょうか。

そうではないでしょう。

共通パーツの価格設定方法に問題があるのですから、ここを変更しなければ問題は解決しません。

A国子会社で見積原価を算出し、それに適正な利益を上乗せした価格で取引すべきです。

個々の共通パーツの価格はそのように設定した上で、A国子会社全体の営業利益率が独立企業間価格レンジ内に収まる

〔図表17　独立企業間価格算定方法に問題あり〕

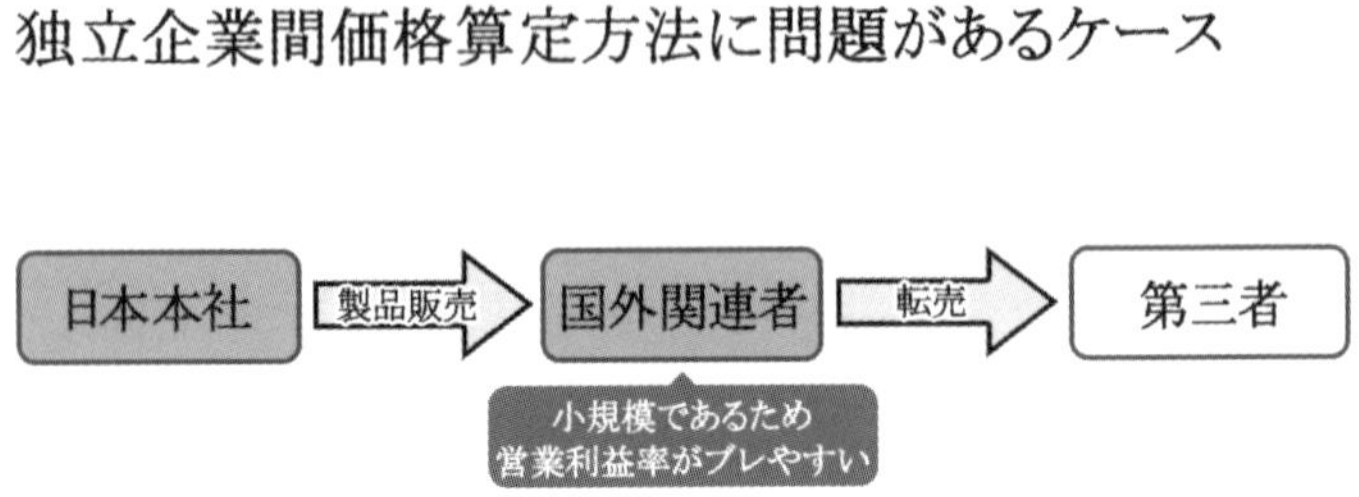

ように定期的にチェックしておけば、次年度以降のローカルファイルではきれいな説明ができます。

実際の取引価格の修正をせずに、ローカルファイル上のテクニックだけで対応しようとしようとしても無理なケースです。

独立企業間価格算定方法に問題があるケース

では次のケースはどうでしょうか。

図表17の国外関連者は日本本社が製造した製品を仕入れて転売する卸売業です。伝票上は国外関連者を通していますが、製品の現物は日本本社から現地の顧客に直送されています。

そしてこの国外関連者の営業利益率が12％あるとします。

この状態で日本の当局向けに次のようなローカルファイルをつくったとします。

・国外関連者を検証対象とする取引単位営業利益法を採用。
・国外関連者の比較対象企業の四分位レンジを算出（例えば2％～7％）。
・国外関連者の営業利益率はレンジ内に入っていないため移転

価格税制上の問題あり。

営業利益率で検証すべきか

移転価格税制上の問題があるという結論になっていますが、本当にそうでしょうか。日本本社から国外関連者への販売価格が低すぎるのではないかという疑念をもって調べたところ、実際は第三者に販売するよりむしろ高めに販売していました。

国外関連者の営業利益率が高い理由は、国外関連者が少人数で運営されており販管費の金額が小さいからでした。

業務の性質上、販売数量が増えても人数を増やす必要性がそれほどないため、販管費は小さいままになっていたのです。

製品の販売価格自体は適正であっても、販売数量の増減によって営業利益率が大きくブレますので、営業利益率を使って検証すること自体が適切ではないということです。

実際に中堅企業の国外関連者（販売子会社）の中には、ほんの数名で何億円もの売上を上げているケースもあります。

反対に日本本社は開発活動中心で人数が少なく、量産は多くの社員を抱える国外関連者で行い、そのほぼ全量を日本本社が購入して日本国内の顧客に転売しているケースでは日本本社の営業利益率がブレやすくなります。

このようなケースでは、売上高総利益率を検証する再販売価格基準法のほうが適切かもしれません。つまり先ほどの例とは違って、親子間の取引価格に問題があるのではなく、独立企業間価格算定方法の選択に再考の余地があるということです。

ただしこの場合は、再販売価格基準法の適用には厳格な比較可能性が求められること、国外関連者の役割が小さいことから手数料程度の利益で十分と指摘される可能性があることなど別の側面からの検証も必要です。

取引価格の決め方に問題があるのか、それともローカルファイルの説明の仕方に問題があるのか。両面から考えることが重要です。

5 読んでおくべき資料

移転価格対応に役立つ資料がいろいろ公表されている

ここで話を変えて、移転対応を進める際に役立つ資料を紹介します。いずれもインターネットで検索すれば簡単に見つかりますので、ぜひご確認ください。

① 移転価格事務運営要領
② 移転価格税制適用に当たっての参考事例集
③ ローカルファイル作成に当たっての例示集

④　移転価格ガイドブック

①　移転価格事務運営要領

これは移転価格関連の税務調査を行う際において、調査官が守らなければならないルールを定めたものです。

国税庁長官が国税局長に宛てた省庁内文書ですので、「資料」という言い方は適切ではないかもしれませんが、間接的に企業を拘束する効果があります。

本項ではこの運営要領の中から、「移転価格対応に失敗しないための入門書」という本書のコンセプトに適した基本的内容のものをいくつかピックアップしてご紹介します（図表18、19、20）。

図表18は、国外関連者との取引について記載した法人税申告書である別表17（4）の提出状況について確認するものです。

別表17（4）は、日本本社と国外関連者との取引額（棚卸資産取引、役務提供取引などの種類別）と取引単位営業利益法などの独立企業間価格算定方法、国外関連者の売上高、営業利益額、利益剰余金額などを記載した申告書です。

すべての国外関連者について網羅的に記載しますので、新たに国外関連者になった企業、国外関連者ではなくなった企業を常に把握しておく必要があります。

これをみれば国外関連者の規模、利益水準、取引額などが一覧でわかりますので、調査官は移転

〔図表 18　移転価格事務運営要領３－３〕

国外関連取引を行う法人が、その確定申告書に「国外関連者に関する明細書」（法人税申告書別表１７（４））を添付していない場合又は当該別表の記載内容が十分でない場合には、当該別表の提出を督促し、又はその記載の内容について補正を求めるとともに、当該国外関連取引の内容について一層的確な把握に努める。

〔図表 19　移転価格事務運営要領３－９〕

役務提供について調査を行う場合には、次の点に留意する。

（１）役務提供を行う際に無形資産を使用しているにもかかわらず、当該役務提供の対価の額に無形資産の使用に係る部分が含まれていない場合があること。

（注）無形資産が役務提供を行う際に使用されているかどうかについて調査を行う場合には、役務の提供と無形資産の使用は概念的には別のものであることに留意し、役務の提供者が当該役務提供時にどのような無形資産を用いているか、当該役務提供が役務の提供を受ける法人の活動、機能等にどのような影響を与えているか等について検討を行う。

（２）役務提供が有形資産又は無形資産の譲渡等に併せて行われており、当該役務提供に係る対価の額がこれらの資産の譲渡等の価格に含まれている場合があること。

〔図表 20　移転価格事務運営要領３－22〕

独立企業間価格は我が国の法令に基づき計算されるのであるから、外国税務当局が移転価格税制に相当する制度に基づき国外関連者に対する課税を行うため算定した国外関連取引の対価の額は、必ずしも独立企業間価格とはならないことに留意する（相互協議において合意された場合を除く。）。

価格税制上の問題があるかどうかの「あたり」をつけることができます。

作成していない企業も結構ありますが、作成義務のある別表ですので早めに作成するようにしましょう。

図表19は、役務提供取引と無形資産取引は本質的には別のものであるため、調査を行う際は、それぞれについて国外関連者から十分な対価を受けているかを検討することを求める内容です。と同時に「役務提供料はいくら」「ロイヤリティーはいくら」「製品価格はいくら」と請求書の名目を分ければいいというものでもなく、それぞれの項目について実質的に独立企業間価格といえる対価の回収が行われているかどうかがポイントであると読み取ることもできます。

ロイヤリティーという名目では国外関連者サイドで損金にならないため製品価格で調整したり、反対に役務提供料をロイヤリティー料率の調整という形で回収している例もありますが、国外関連者への所得移転や経済的利益の供与を疑われたくないのであれば、そのあたりの説明資料をしっかり残しておくことが重要です。

図表20は、外国の税務当局がいう独立企業間価格と日本の税務当局がいう独立企業間価格は必ずしも一致しないため、「子会社の税務調査で指摘された」と日本本社の税務調査時に主張しても通るとは限らないということです。

移転価格税制は国と国で利害が対立する問題だということが非常によくわかる規定です。

板挟みになる企業にとってはつらいところですが、「国外関連者サイドの事情も把握した上で、総合的かつ政策的に親子間取引価格の最適な状態を探す」というやりがいのある仕事を与えられたと前向きに考えましょう。

② 移転価格税制適用に当たっての参考事例集

これは移転価格事務運営要領の「別冊」として公表されているもので、それぞれの独立企業間価格算定方法がどのような場合に適切と判断されるのか、無形資産の取り扱いに関する留意事項は何かなど、移転価格税制を適用する際のポイントが事例形式で説明されています。

１００ページ以上の資料ですので、一通り読むというよりは目次を頼りに関心がある項目を読むという使い方がいいと思います。

③ ローカルファイル作成に当たっての例示集

これはローカルファイルを作成する際の参考資料として国税庁から発表されたもので、ローカルファイルに記載する各項目についての例が紹介されています。

それほどの分量ではありませんので、ざっと目を通しておくといいでしょう。

④ 移転価格ガイドブック

これも国税庁から公表されたもので、「移転価格税制に関する国税庁の取組方針」「移転価格税制

〔図表21　ロイヤリティー料率について（移転価格ガイドブックP36～37）〕

第三者に使用許諾を与えている部品ｂのロイヤリティ料率と同じ条件を、部品ａを製造している国外関連者にも適用している。これは第三者間取引を内部比較としているものであり、移転価格税制上の問題はないと企業は主張した。

それに対して調査官は、

・部品ａの製造ノウハウは部品ｂより重要と考えられる
・第三者との契約と国外関連者の契約では契約当事者が負担するリスクに差がみられる

という理由により、部品ａと部品ｂの製造ノウハウの使用許諾契約の比較可能性が十分ではなく移転価格税制上の問題があるのではないかと考えた

の適用におけるポイント」「同時文書化対応ガイド」の３部で構成された資料です。「同時文書化対応ガイド」の章にローカルファイルのサンプルも２例収録されていますが、私が注目するのは「移転価格税制の適用におけるポイント」の章です。

ここには企業と税務当局の間で見解の相違が起きやすいポイントがわかりやすく解説されていますので、本書ではその中の１つをご紹介します（図表21）。

これは、ロイヤリティー料率を独立価格比準法で設定する場合は厳格な比較可能性が要求されるという意味です。

第三者にノウハウの使用許諾を与えている場合にその料率を内部比較対象取引として採用するという考え方自体は間違っていません。

そこからさらに一歩踏み込んで製造ノウハウの重要性や契約上のリスク負担関係まで考慮しましょうということです。

確かに実例をみても製品ごとに異なるロイヤリティー料率を設定している企業はあります。

これとこれは３％

これとこれは２％

これとこれは１％

という感じです。

「ノウハウの詰まり方」が違うという理由ですが、これこそ企業自らが考えるべき部分です。

外部コンサルタントは業界の人間ではありませんので、「この製品は３％、この製品は１％」などと、製造ノウハウの評価を自ら行うことはできません。

企業から説明を受けて、製造ノウハウの程度に応じて料率を設定しているのであれば移転価格リスクは低く抑えられていると判断するだけです。

これも移転価格対応は製品のことや取引内容を理解している企業が主体的に行うべきという根拠の1つといえます。

情報収集を継続しよう

その他にも移転価格関連の書籍やインターネットの記事、国内外の会計事務所等が開催しているセミナーに参加するのも情報収集に役立つと思います。

移転価格税制に関するルールと実務環境は目まぐるしく変化していますので、日本と海外双方で情報収集を継続することが重要です。

当事務所でもホームページやメールマガジンで情報発信をしていますので、そちらもぜひご活用ください。

6　ローカルファイルの大まかなストーリー

全体の流れをつかむことが重要

ではローカルファイルの中身に入っていきます。

本書ではローカルファイルに記載する項目を1つひとつ説明するのではなく、ローカルファイル全体の流れを解説することによって全体像をつかんでいただくことに力点をおきたいと思います。

ローカルファイルに記載する項目

ローカルファイルに記載すべき項目は、租税特別措置法施行規則第22条の10に規定されています。

原文は読みにくいので、少し要約して記載します（図表22）。

このような項目を記載するということを考えつつ、ローカルファイルの大まかな記載の流れを説

〔図表22　ローカルファイル記載項目一覧〕

- 国外関連者との取引に係る資産の明細及び役務の内容
- 各当事者が果たしている機能と負っているリスク
- 国外関連取引に使用した無形資産の内容
- 国外関連取引に関する契約書または契約の内容
- 取引価格の設定方針、独立企業間価格算定方法、事前確認の内容等
- 親子間取引にかかる損益の明細及びその計算過程
- 国外関連取引が行われた市場の分析
- 事業内容、事業方針、組織図
- 国外関連取引と密接に関連する他の取引の明細
- 独立企業間価格算定方法の選定理由及び重要な前提条件
- 比較対象取引（企業）の選定に関する資料及び明細
- 利益分割法を採用した場合の両社に帰属する金額の算定資料
- 複数の国外関連取引を一つの取引として扱った場合における理由及び各取引の内容
- 差異の調整を行った場合はその理由及びその方法

明していきます。
ローカルファイルの記載の流れは、次のとおりです。

①　事業内容等の説明
②　国外関連取引の説明
③　機能リスクの分析・無形資産の分析
④　独立企業間価格算定方法の選定
⑤　移転価格上の問題があるかどうかの検証

①　事業内容等の説明

ここは企業グループの事業内容やグループ企業一覧、主要な製品、市場動向、事業方針などについて記載する部分です。

ローカルファイルは企業に直接訪問してくる調査官ではなく、国税局内部にいる移転価格税制に詳しい調査官が読むことを前提に書くべき文書です。よほどの大企業でない限りはそうなります。ですので、調査対象となっている企業の事業概要について簡潔に説明しておく必要があります。

この部分をみて直接的に追徴課税がどうという話にはなりにくいと思いますが、一種の自己紹介のような感じで事業の概況を記載しましょう。

自社でローカルファイルを作成しようとしている方はなるべく労力をかけたくないはずですの

で、有価証券報告書や株主総会の招集通知などを確認し、使えそうな記述があれば、それを積極的に活用しましょう。

② 国外関連取引の説明

ここは移転価格分析を行う対象である国外関連者と日本本社の取引の概要について記載する部分です。

ローカルファイルは日本本社と特定の国外関連者との取引に移転価格税制上の問題がないかを検証した文書です。

中国とタイとインドネシアに子会社があり、それら3社との取引すべてを検証したいのであれば、ローカルファイルは3つ必要です。

日本本社と中国子会社との国外関連取引を検証するローカルファイルであれば、このパートにおいて日本本社と中国子会社との取引の概要を説明します。

例えば、日本本社から中国子会社に原材料を有償支給し、中国子会社ではその原材料を使って製品を製造して日本本社と中国国内顧客に売却しているのであれば、その内容を取引フロー図を使うなどしてわかりやすく記載します。

日本本社から中国子会社に対して製造に必要な技術支援を行っている場合や、中国子会社からロイヤリティーを受け取っている場合は、それらについても記載しましょう。

③　機能とリスクの分析、無形資産分析

ここは日本本社と国外関連者のそれぞれが果たしている機能と負担しているリスク、そして無形資産の有無について記載する部分です。

「果たしている機能」とは、研究開発機能、製造機能、販売マーケティング機能などのことであり、「負担しているリスク」とは研究開発の失敗によるリスク、設備投資リスク、信用リスクなどのことです。

各機能とリスクが日本本社と国外関連者のどちらに帰属するのかをわかりやすく記載します。機能とリスクの負担者を示した一覧表を掲載することもおすすめです。

機能の記載

例えば、次のように分類し、日本本社及び国外関連者が果たしている機能をそれぞれ記載します。

- 研究開発活動
- 製造活動
- 購買活動
- 販売マーケティング活動

研究開発機能の有無や程度については、無形資産の構築とも関連しますので特に慎重な判断が求められる部分です。

リスクの記載

例えば、次のように分類し、日本本社及び国外関連者が負っているリスクをそれぞれ記載します。

・在庫リスク
・設備投資リスク
・研究開発リスク
・為替リスク
・信用リスク

果たしている機能と負担しているリスクが限定的なほうの利益率を検証対象とする可能性が高いのですが、多くの場合は国外関連者のほうが機能とリスクが限定的という結論になると思います。

この部分の記載を受けて、次の独立企業間価格算定方法の選定↓移転価格上の問題があるかどうかの検証とつながっていきますので、ローカルファイルの中核といえる重要な部分です。

無形資産分析

次の無形資産分析ですが、ここも非常に重要です。

超過収益の源泉となる目にみえない資産である無形資産（製造ノウハウなど）を日本本社と国外関連者のどちらかがもっているのか、両方もっているのか、両方とももっていないのかについての分析結果を記載します。

日本本社と国外関連者の両方が無形資産をもっているのであれば残余利益分割法、国外関連者に無形資産がないのであれば取引単位営業利益法など、独立企業間価格算定方法に影響与える項目ですので慎重な判断が求められます。

また日本本社が無形資産をもっており、それを国外関連者が使用しているのであれば、国外関連者からロイヤリティーを受け取っているのかという議論にもつながります。

無形資産を保有しているからといって何かのランプが点灯するわけでもありませんので、事業内容や利益水準、過去の経緯などから各社で判断するしかない部分です。

ただ先述した通り、中堅企業の国外関連者が無形資産をもっているケースは少ないと思いますので、日本本社が無形資産をすべてもっている、あるいは双方ともに無形資産といえるほどのものはないという結論になることが多いはずです。

開示情報との整合性にも注意

機能リスク分析や無形資産分析は重要な部分とお伝えしましたが、ホームページや有価証券報告書などの開示情報と矛盾がないかもチェックしておくべきです。

例えば、「中国子会社の研究開発部門には多くの研究者が在籍していて積極的に研究開発活動を行っている」という情報を開示しているにも関わらず、中国子会社に無形資産がないという記載で問題ないかを検討しておきましょう。

④ 独立企業間価格算定方法の選定

ここはこれまでに記載した国外関連取引の概要、機能リスク分析、無形資産分析を根拠として、どの独立企業間価格算定方法にするかを決定するパートです。

最も適切な方法を選ぶというベストメソッドルールの趣旨から、「すべての算定方法を検証した結果これを選んだ」という書き方をすべきです。

教科書的に取引単位営業利益法で説明できれば無難だとは思いますが、実務はもっと複雑ですので、当事務所でも取引単位営業利益法以外の方法を採用したり、複数の算定方法を併用したりすることがあります。

各算定方法を学んだ上で、時に専門家のアドバイスも聞きながら、ベストな方法を決めましょう。

⑤ 移転価格税制上の問題があるかどうかの検証

最後は選択した独立企業間価格算定方法に従って親子間取引を検証し、移転価格税制上の問題があるかどうかの結論を出すパートで、経済分析といわれることもあります。

独立企業間価格算定方法の選定結果しだいですので、一概にいうことはできませんが、多くの場合は比較対象企業の利益率と国外関連者の利益率の比較が行われることになります。

利益率レンジ内に入っているから問題ないという結論になるのか、レンジ外だから取引価格の是正が必要と書くのか、あるいは国外関連者の決算書に異常な項目（突発的な費用など）があるので、それを除けばレンジ内に入っていると書くのか、それは状況しだいです。

当事務所の場合、移転価格税制に対応できる社内体制づくりがもともとの目的ですので、親子間取引の価格設定方法に問題がある場合に無理なテクニックを使って説明するのではなく、あえて(というより正直に）移転価格税制上の問題ありという結論を出していただくこともあります。

これは税務当局向けというよりは企業の内部向けに「移転価格税制上の問題があるから取引価格の是正が必要」ということを伝えることが狙いです。

オーナー社長の鶴の一声で取引価格を変更できる企業は別として、事業部門や子会社がそれぞれ数字責任を負って組織的に機能している企業がグループ間の取引価格を変更することはそれほど容易ではありません。

とはいえ、移転価格税制上の問題があるものはあるのですから、1日でも早く是正活動を始めたほうがいいと考えています。

ローカルファイルのサンプルを確認しておこう

ローカルファイルは、概ねここまで説明してきた①～⑤の流れに沿って作成されています。

本書を確認しながら、先述した「移転価格ガイドブック」に記載されているローカルファイルのサンプルをぜひ確認してみてください。どういうストーリーになっているのかが、はっきりわかるはずです。

無理にローカルファイル本体に書かなくてもいい

本章の最後に事務作業効率化のためのちょっとしたテクニックをご紹介します。

それは「すべての情報をローカルファイル本体に書かなくてもいい」ということです。

ローカルファイル本体には「別資料参照」とだけ記載し、必要に応じて別資料を提出すれば何も問題はありません。

具体的な項目としては、まず「組織図」があります。組織図をローカルファイル本体に転記しなくても、別資料参照と記載しておき、必要なときに普段から用意している組織図を出せばいいです。

「製品の写真」も同じです。製品カタログやパンフレットをそのまま出しましょう。

「比較対象企業の財務データ」も同様です。

何ページにもわたってきれいな表に転記しなくても、データベース会社から購入したエクセルデータを出せばいいだけです。今は紙ではなくデータの時代です。

自社でローカルファイルを更新する際には、省力化の観点から、なるべく「別資料参照」を活用しましょう。このような情報をローカルファイル本体に記載してしまうと、製造している製品の種類が変わった場合や組織図に変更があった場合に該当箇所をいちいち修正しなければなりません。

そのような作業に何の付加価値もありませんので、「別資料参照」を活用して、できるだけラクに次年度以降の更新を行いましょう。

限られたマンパワーは、もっと付加価値の高い仕事に投入しましょう。

5章

国外関連者への寄附金対策

1　海外寄附金とは

国外関連者に対する2つの特別ルール

ここまでは独立企業間価格算定方法やローカルファイルの内容について説明してきました。これは主にメーカーや商社の本業である棚卸資産取引をイメージした内容です。

ですが、海外進出企業にとっては、それよりもっと身近で緊急に対策が必要な項目があります。それが海外寄附金です。

これは国外関連者に何らかの援助したのであればしかるべき対価を受け取る必要があり、それをしないのであれば、その分は経済的利益の無償供与だとして寄附金扱いを受けるというものです。

そして国外関連者に対する寄附金は全額損金不算入になるという規定（租税特別措置法第66条の4第3項）がありますので、指摘された金額がそのまま所得に加算されることになります（通常の寄附金には一定の損金算入可能枠があります）。

つまり国外関連者に関する特別ルールは2つあることになります。

1つは国外関連者との取引に移転価格税制が適用されるというルールであり、もう1つは国外関連者への寄附は全額損金不算入になるというルールです。

本章では、この恐ろしい「海外寄附金」を取り上げたいと思います。

ローカルファイルの作成とは別問題

棚卸資産取引における移転価格検証は親子間取引を1つのまとまり（取引単位）と考えて、その「まとまり」の利益水準を検証することが多いです。

これは親子間取引に全体的な所得の偏りがないかを検証していると言い換えることができます。それに対して海外寄附金は、個々の親子間取引について国外関連者への経済的利益の供与がないかどうかという話です。

両者は相互に関連する部分はあるものの視点が異なっていますので、棚卸資産取引についてのローカルファイルをつくっていても、それとは別に海外寄附金対策が必要です。

最優先で対策を行うべき

海外寄附金は棚卸資産取引の移転価格課税よりも指摘がはるかに簡単です。個別の項目について国外関連者が負担すべき費用を日本本社が負担していれば、その金額をそのまま寄附だと指摘するだけだからです。

例えば、国外関連者が開催した展示会費用300万円を日本本社が負担していて、それが子会社支援と認定されたのであれば、その300万円がそのまま海外寄附金として指摘されます。

指摘が容易ということは企業サイドが対策をするべき優先順位が高いということです。ローカルファイルをつくるより前に、まずは海外寄附金対策をしっかり行いましょう。

海外寄附金対策こそ企業自身が行うべきもの

海外寄附金は1つひとつの取引について、子会社支援かそうでないかを判断するものですので日常的な対策が必要です。

専門家に大まかな方針を相談することはできても、日々の対応がその通りにできていなければ追徴課税を受けるリスクは低くなりません。

これこそ企業自身が行うべきことです。

エビデンスを残すクセをつける

海外寄附金の問題を一言でいえば、日本本社のための費用なのか国外関連者のための費用なのかどちらなのかということです。

国外関連者が負担すべき費用が別会社である日本本社の損金になるはずがないのですが、親子関係の場合は別会社であるという意識が希薄であるため、国外関連者が負担すべき費用を日本本社が負担してしまっていることが多々あり、その点が税務調査時に指摘されることになります。

日本本社と国外関連者のどちらが負担すべき費用であるかを考えて、国外関連者に請求すべきものは請求し、日本本社の損金で処理するのであれば可能な限りのエビデンスを残しておくことが非常に重要です。

損金に算入するためにエビデンスが必要であることは当然です。文房具代を損金で落とすために領収書やレシートが必要といっているのと同じことです。

税務調査時に指摘を受けてから、いくら口頭で「これは本社のための費用なんだ」と弁明しても、それを裏づけるエビデンスがなければ認められる可能性は低いと考え、事前の備えをしっかりとしておきましょう。

「億超え」の指摘もあり得る

移転価格税制の適用の場合、最長7年間さかのぼることができます。

これは、移転価格調査は一般的に長期に及ぶことから特別に更正期間（時効）が延長されているためです。

対して海外寄附金の更正期間は、通常通り5年間です。

海外寄附金の各項目は指摘額が大きくなりがちですので、5年以内の遡及でも驚くような金額になることがあります。

当事務所でも海外寄附金だけで「億超え」の指摘を受けたという相談事例もありますので、経営レベルで考えても決して後回しにはできない内容です。

海外寄附金の具体的項目

海外寄附金の代表的項目には次があります。

① 国外関連者への出張支援
② 国外関連者への出向者の給与負担金
③ 国外関連者への貸付金利
④ 国外関連者への無形資産の使用許諾

いずれも話自体は国外関連者が負担すべき費用を日本本社が負担していないかというシンプルなものですので、そのような費用がないかを常にチェックする習慣をつけましょう。

2 国外関連者への出張支援

子会社支援目的の海外出張旅費が否認される

国外関連者に出張する機会は多いと思います。

日本がヘッドクオーターで、アジアなどにある国外関連者に出張するのであれば、国外関連者に何らかの支援をしに行っている可能性が高いでしょう。

国外関連者に技術指導や営業支援の目的で出張したのであれば、それは国外関連者に役務を提供したことになりますので、いずれかの独立企業間価格算定方法で算出した対価の回収が必要になります。

そしてグループ内役務提供（ＩＧＳ）の場合、普通は原価基準法が採用されます。

原価基準法とは、出張支援に要したコストをベースに独立企業間価格を算定するという意味ですが、出張支援の場合、利益をのせろとは言わないので、かかったコスト（実費）だけは回収するように指摘されることが通常です。

そして国外関連者から回収できるのであれば役務収益の計上モレ、回収しないのであれば国外関連者への寄附金として処理することになります。

これは海外関係の税務調査で最も指摘される可能性が高い項目ですので、国外関連者に出張支援をしている企業（ほとんどすべてだと思います）は、最優先で対策をしましょう。

集計するコストの範囲

では、具体的にはどのような項目を集計すればいいのでしょうか。

日本は島国ですので国外関連者まで出向くには飛行機に乗って数日間宿泊することになります。まずはこのフライト代とホテル代を集計します。

それに加えて出張日当、日割人件費も集計します。

日割人件費の算出方法に決まった式はありませんが、1営業日あたりの人件費を算出するという趣旨から、給与、賞与に社会保険料を加えて、それを年間営業日数で割って算定する方法が妥当でしょう。社会保険料は金額的重要性もありますので忘れないようにしてください。

理論上は1日あたりの退職金も人件費に含まれることになりますので、算定できるのであれば加算しても構いません。

また、これらは出張支援に直接的にかかった費用（直接費）ですので、合理的に算定した間接費を加えると完璧です。

出張報告書の内容をチェックする社内体制が整っているか

集計してみるとわかりますが、出張支援にかかっているコストは結構な金額になります。

1回の出張で20万円としても、毎月のべ５人出張していれば月１００万円、年間では１２００万円です。

税務調査は数年分をまとめて行いますので、それほど大きな企業でなくても数千万円の指摘にいたる可能性は十分あります。

税務調査時に指摘されたとき、国外関連者に出張したからといってすべてが子会社支援でないと主張したくなるでしょう。

確かに国外関連者に出張したからといって、すべてを国外関連者負担にする必要はありません。ですが、子会社支援目的の出張とそうでない出張の区別をエビデンスによって説明できなければ、すべての出張が子会社支援と認定される可能性があります。

具体的には出張申請書や出張後に書く出張報告書の内容を経理関係の方がチェックする社内体制を構築した上で、子会社支援目的であれば請求し、日本本社都合による出張であれば誤解されないような記載になっているかを確認してください。

出張報告書が日本本社の損金に算入するためのエビデンスとなるからです。

子会社支援かそうでないか

すべての出張が子会社支援ではなく、かといってすべての出張が日本本社都合でもありませんので、何らかの線引きをする必要があります。

出張する理由は企業によって様々ですので、その区別を一概にいうことはできません。当事務所では、国外関連者負担の出張と日本本社負担の出張を区分するルールづくりをご支援していますが、通達も何もない世界ですので、出張の目的・内容をヒアリングしてどちらの負担にするのか決めていく感じです。

結局のところは、自分の心に聞いてみて正直に判断すべきということではあるのですが、それでは少し不親切ですので、事例で考えてみたいと思います。

日本本社から商品・製品を購入し、商社として現地ユーザーに販売している国外関連者のケースを考えます。

日本本社からの出張者が国外関連者の顧客を訪問して受注が決まったのであれば、国外関連者に商品・製品を卸している日本本社も間接的に売上がたちますので、子会社支援目的の出張ではないと主張したくなるかもしれません。

ですが、第一義的・直接的に売上がたつのは国外関連者のほうですので、これは国外関連者の営業活動を支援していると考えるほうが自然です。

一方、国外関連者がある国を訪問していても、受注が決まれば日本本社から直接売上がたつのであれば、それは日本本社の営業活動といえるでしょう。

同じ人であっても目的によって判断は変わる

製造子会社である国外関連者が製造した製品を日本本社が買い上げて、日本の得意先に販売しているケースについても考えてみます。

日本本社から技術部門の人が国外関連者を訪問したのであれば、国外関連者に技術指導を行うための出張である可能性は高いでしょう。

税務調査時には組織図を提出しますので旅費交通費の勘定科目を調べれば、誰がいつ国外関連者を訪問したのかはすぐわかります。

とはいえ、その出張が日本本社の得意先が国外関連者で製造している製品の品質を確認するために日本本社の技術者の同伴を求めたということであれば、子会社支援ではなく日本本社都合の出張といえる可能性が高くなります。

同じ人が同じ国外関連者を訪問しても、子会社支援であるケースとそうでないケースがあることになりますので、やはり出張報告書の記載が重要です。

その他にも国外関連者の株主総会への出席や、日本本社が有価証券報告書を作成するために行う会計監査など、株主としての地位に基づく活動は国外関連者への役務提供に該当しない（＝日本本社負担でよい）ことになっています。

もっとも実務的にはどちらのためとも言い切れない出張もありますので、その場合は費用を折半するのも1つの方法です。

そして国外関連者に請求するのであれば現地の会計事務所と連絡をとって必要な書類を用意し、国外関連者側の損金に算入できるようにしておきましょう。

正確には旅費や人件費のマイナスではない

子会社支援目的の出張関連費用を国外関連者から回収する場合は、旅費交通費や給料手当のマイナスとして処理するのでしょうか。

この支出は国外関連者にとっては、技術指導などのサービスに対する対価です。その対価の額の独立企業間価格算定方法として原価基準法を採用し、かかったコストの総額を集計したということになります。

つまりサービスフィーの算定根拠として旅費や人件費の実費を使用したのであり、日本本社が立て替えた旅費や人件費を回収したのではありません。

ですので、旅費や人件費のマイナスではなく、新たな役務収益の発生を認識することが正確です。

出張旅費の請求で反発が起きる可能性も・・

結局のところ国外関連者への出張については、

日本本社のための出張　⇒　エビデンスをしっかり残す

国外関連者のための出張　⇒　かかったコストを請求または自己否認

ということです（自己否認については第6章参照）。

ただ国外関連者にとってみれば、これまで無償だった出張支援が有料になるのですから反発が出ることも予想されます。

そのような場合は、親子とはいえ別会社なので財布は別であることを認識させるための啓蒙活動も必要になってくるかもしれません。

子会社支援の体制を保持していること自体が役務提供に該当する

子会社支援目的の出張関連費用を国外関連者に請求することは必要ですが、出張したから請求するのではなく、国外関連者に役務提供を提供したから請求すると理解しておくことが重要です。

例えば、国外関連者で何かのトラブルがあり、丸1日国際電話を使って支援をしたのであれば、出張はしていなくても、その人の日割人件費と国際電話料金は役務提供にかかった原価として請求するのが本当です。

外部からその部分だけを切り出して捕捉することが難しいというだけであり、理論的にはそうな

〔図表23　移転価格事務運営要領3－10(1)注〕

（役務提供に該当する可能性がある）「法人が行う活動」には、法人が国外関連者の要請に応じて随時活動を行い得るよう定常的に当該活動に必要な人員や設備等を利用可能な状態に維持している場合が含まれることに留意する。

ります。

関連する項目として、図表23の規定も確認しておきましょう。

これは子会社支援を行うための部署や人員を常備している場合、その維持費（スタンバイ費用）は国外関連者が負担すべきであるということです。

子会社支援を行うための組織や人員は、先ほどの国際電話の例とは異なり、他の費用と区別して捕捉できます。

海外担当営業部長というポジションの人がいて、主たる業務として国外関連者の営業支援を行っているのであれば、その人の人件費全額が子会社支援と認定されることもあり得ます。あるいは国際部のような部署があって、国外関連者を支援する業務を定常的に行っているのであれば、その部門全体の人件費や家賃などが否認されることもあり得ます。

人件費を否認するのですから、指摘を受けた場合は多額の追徴課税につながります。自社にそのような組織・人員がないか、一度、組織図をチェックしてみてはいかがでしょうか。

役務提供取引の分類

次に役務提供取引の分類についてお伝えします。グループ内役務提供（I

GS）には様々な種類がありますが、概ね次のパターン分けで対応できます。

・本業役務提供の場合⇓ローカルファイルの作成及びモニタリング

システム開発やコンサルティングなど役務提供が本業の企業が、グループ内企業に対して本業の役務提供（システム開発の受託やコンサルティング）を行う場合は、棚卸資産取引と同様の対策を行うことが望ましいです。

つまり第三者に提供しているサービスと同様のサービスをグループ内に提供している場合に価格や利益率に差がないかどうかを検証し、さらに国外関連者（または日本本社）の利益水準を比較対象企業と比較したローカルファイルを作成し、それを毎年モニタリングしていくということです。

・本業に付随する業務の場合⇓支援に要した総コストを請求

ここからはメーカーや商社など役務提供が本業でない企業を想定しています。

移転価格事務運営要領3－11（2）では、本来の業務に付随して行われた役務提供の場合は、支援に要した総原価の額をもって独立企業間価格とする方法を検討すると規定されています。

総原価の額をもって独立企業間価格とするとは、利益はのせなくていいので支援に要したコストだけを回収すればいいという意味です。

本来の業務に付随して行われた役務提供の例として、「国外関連者から製品を輸入している日本本社がその国外関連者の製造設備に対して行う技術指導」が挙げられています。

重要性が低いため利益はのせなくていいという趣旨ですが、具体的にどの役務提供を本業付随業

〔図表24　低付加価値な役務の例〕

- 会計帳簿又は予算の作成、財務に関する監査その他の会計、予算及び監査に関する事務
- 顧客に対する債権及び債務並びに信用リスクの管理その他の債権及び債務の管理に関する事務
- 雇用、教育、給与、福利厚生その他の従業員の管理に関する事務
- 衛生、安全、環境その他の事業を規制する基準に関する情報の管理又は収集に関する事務
- 情報通信システムの保守、管理その他の情報通信サービスに関する事務
- 広報活動の支援に関する事務
- 契約書の作成、契約内容の確認その他の法務に関する事務
- 申告書の作成、納税その他の税務に関する事務

務と考えるかは各社の判断です。

本業付随業務ではないと判断した場合は、かかったコストに一定の利益をのせることを検討してください。

・低付加価値なグループ内役務提供の場合⇓総コスト＋５％を請求

本業付随業務ではないグループ内役務提供取引のうち、付加価値が低いものについては簡易な方法（総コスト＋５％）によって算定した額をもって独立企業間価格と認められます。

低付加価値な役務の例は、「移転価格税制の適用にあたっての参考事例集」の【事例26】に列挙されています（図表24）。

いわゆるバックオフィス業務が該当すると考えておけば概ね間違いないでしょう。

・低付加価値ではないグループ内役務提供の場合⇓総コスト＋５％以上を請求

移転価格事務運営要領3－11（1）ニでは、研究開発、製造、マーケティングなどは上述の低付加価値グループ内役務提供に該当しないと明記されています。

ではどうすればいいのかということまでは書かれていませんが、低付加価値の場合で総コスト＋5％ですので、それ以上の価値がある場合は5％以上の利益が求められると考えることが自然でしょう。

5％以上の利益を取った上で、同様のサービスをグループ外に提供している場合との価格差の有無をチェックし、念押しで同様のサービスを本業としている企業の利益水準との比較資料を残しておけば対価の妥当性について説得力のある説明ができます。

寄附かどうか迷うケース

グループ内役務提供の典型例は海外子会社への出張支援だが、海外子会社に出張したからといって必ずしも子会社支援とは限らないとお伝えしました。

せっかくですので、その他のいくつかの活動についても寄附にあたるかどうかを考えてみましょう。

まずは展示会です。タイに子会社があってタイで展示会をする際の費用を日本本社が全額負担できるケースは少ないと思います。タイ子会社が受注すれば日本本社の製品が間接的に売れるとしても、第一義的にはタイ子会社の営業活動ですので基本的にはタイ子会社が負担すべきでしょう。

しかしその展示会にはタイ以外のベトナムやインドネシアからも来場者があり、それらの企業から受注できた場合は日本本社から直接販売することになる、さらにタイ子会社にはタイ国内のみの販売ライセンスしか与えていない場合はどうでしょうか。

展示会ブースにも日本本社とタイ子会社の両社の企業名が表示されているのであれば、日本本社の営業活動「でもある」として、展示会費用の折半やブースの面積割などが認められる可能性は十分あると思います。

展示会場の写真や来場者の名刺、後日見積もりを出したのであれば見積りのコピーなど、状況証拠を残しておきましょう。

販売奨励金やＷｅｂサイト作成費用

国外関連者に販売奨励金を出す場合や、広告宣伝費の一部を負担する場合はどうでしょうか。一概にはいえませんので個別に検討することになりますが、業界の慣行として一般的に行われている場合や、第三者の販売代理店に対しても同様の支給を行っている場合は日本本社の損金として認められると思います。

あるいは消費者向けのビジネスなどにおいて、日本本社が保有するブランドや商標、すなわち販売マーケティング面の無形資産の価値を高めるために国外関連者が所在する国でテレビＣＭを流す、さらに国外関連者からは十分な商標使用料（ライセンスフィー）を受け取っているという状況であれば寄附金に当たらない可能性が高いと思います。

一方、国外関連者の業績を支援するために場当たり的に行ったのであれば寄附金になるでしょう。

また日本本社がグループ全企業のＷｅｂサイトをまとめてつくる場合はどうでしょうか。日本本社のＷｅｂサイトの「拠点一覧」のページではなく、国外関連者自身のＷｅｂサイトであれば国外関連者にその部分の作成費を負担してもらうべきでしょう。

Ｗｅｂサイト作成業者に一括で発注したとしても、契約書の明細を分けてもらうことによって、各社の負担額を説明しやすくなります。

ＰＬ保険料は子会社負担か

国外関連者の事業所にある製品や商品について生産物責任賠償保険（ＰＬ保険）をかける場合はどうでしょうか。感覚的には各子会社が負担すべきであり、各社の損金としても問題なく認められるはずです。

ですがその保険料を日本本社が払ったからといって必ずしも国外関連者への寄附には該当しないと思います。日本本社が設計した製品の製造物責任リスクを子会社が負担できるのかという疑問があるからです。

日本本社は細心の注意を払って設計したものの、それでも予見できない事故に備えてPL保険をかけているはずです。その製品がどこにあろうと事故が起きた際の損失は最終的には日本本社が補償することになるはずですので、子会社の事業所にある分も含めて日本本社が保険料を負担することに経済合理性はあると思います。

このように実務上はどちらの負担か迷うケース、あるいはどちらの負担でも通りそうなケースがあります。親子間でどのような役務提供や費用分担を行っているのか、一度整理してみることをおすすめします。

3　出向者に対する給与負担金

出向者の人件費の本社負担分が否認される

ご承知の通り、国外関連者に出向者を送るためには多額の費用がかかります。

・海外出向手当等の上乗せ
・赴任支度金
・現地所得税相当額の会社負担
・本人や配偶者の語学研修費用
・子女教育費
・現地での住居費
・現地での車代、運転手代

など、トータルで国内勤務時の2倍以上のコストがかかることも珍しくありません。

大きな金額ですのですべてを国外関連者に負担させるわけにはいかず、一部を日本本社が負担していることがありますが、その出向者負担金が子会社支援だとして寄附金認定を受けることがあります。

一部とはいえ人件費が否認されるのですから影響額は大きくなります。出向者が何人もいて、過去数年分をさかのぼると数千万円程度は覚悟しなければなりません。

「給与較差補てん金」であれば出向元の損金に算入可能

出向期間中も出向者と日本本社との雇用契約は継続していますので、出向者は日本本社の規定に従った給与を受け取る権利があります。

日本本社の規定で年収８００万円の人が、出向中は国外関連者の規定に従って５００万円というわけにはいきません。

海外で勤務すると出向者の負担も大きくなりますので、むしろ日本勤務時以上の待遇が必要になってきます。

その人件費をすべて国外関連者負担にしなければならないとすれば、海外進出自体がとん挫してしまう可能性も否定はできないでしょう。

そういう意味で出向者に対する人件費負担は必要にせまられて発生するものですが、必ず寄附金認定を受けるのかというと、そうではありません。図表25の規定をご確認ください。

〔図表25　法人税法基本通達９－２－47〕

出向元法人が出向先法人との給与条件の較差を補填するため出向者に対して支給した給与の額（出向先法人を経て支給した金額を含む。）は、当該出向元法人の損金の額に算入する。

（注）出向元法人が出向者に対して支給する次の金額は、いずれも給与条件の較差を補填するために支給したものとする。
1　出向先法人が経営不振等で出向者に賞与を支給することができないため出向元法人が当該出向者に対して支給する賞与の額
2　出向先法人が海外にあるため出向元法人が支給するいわゆる留守宅手当の額

この通達により、「給与較差補てん金」だという説明が通れば日本本社の損金になります。ただ、これ以上詳しい規定はありませんので、企業の対応、調査官の対応ともにバラつきがあるようです。

もう少していねいな規定が欲しいところですが、それをいっても仕方がありませんので本項では、給与較差補てんの寄附金認定リスクを低くするためにできること、給与較差補てん金を支払う際に注意すべきことを考えてみたいと思います。

原則は子会社負担

国外関連者への出向者の人件費は、原則としては国外関連者が負担すべきものです。出向者が勤務することによってあげた成果は第一義的には国外関連者に帰属するからです。

給与較差補てん金はこの原則の例外と考えるべきだと思います。

例外ですので給与較差補てん金であることをしっかり説明できなければ、原則通り国外関連者負担、つまり日本本社が負担した分は国外関連者への寄附金となります。

現地の給与水準との比較資料を残しておく

国外関連者が相当な経営危機で日本本社からの支援がなければさらに大きな損失を招くというような事態でない限り、出向者の人件費を日本本社の損金に算入するための法的根拠は給与較差補てん金以外にありません。

「現地の所得税相当額は日本本社負担」、「適当に折半」といった説明では、給与の較差補てん金として認められない可能性があります。

現地の給与水準と日本本社の給与水準との差額が給与較差ですから、出向者が現地で雇われたときの給与水準を客観的な書面で残しておくことが重要です。

国外関連者の給与規定、給与テーブル、外部機関から入手した現地の給与水準の統計資料などを残しておき、給与の較差といえる範囲の支出であることを説明できるようにしておきましょう。

現地における給与水準の求め方に決まったルールはありませんが、出向者が国外関連者でマネージャーであるなら現地採用のマネージャーの給与が参考になりますし、マネージャーがいないのであればディレクターとスタッフの中間にするなどの工夫が必要です。

「現地の給与水準を調べておき、その資料を残しておくこと」これが第一優先です。

出向契約書が結ばれているか

国外関連者との間で出向契約書が結ばれているかどうかも重要です。

出向契約書がない企業などあるのかと思う方もいるかもしれませんが、ないところは本当にないです。

出向契約書及びその関連資料に国外関連者における役職、出向期間、給与の負担額などが記載されていて社内の正式決裁を得ていれば、恣意的に給与負担額を決めているという疑念を小さくすることができます。

また一度結んだ出向契約書が見直されているかも要確認です。国外関連者の負担額が5年間も変わっていないとすれば、やはりそれは不自然です。

現地での役職が上がったのであれば現地の負担額を増やすべきですし、ローカルスタッフの昇給に合わせた調整も必要です。

出向契約書は毎期見直したほうがいいと思います。

海外赴任規定の見直しは必要ないか

海外赴任規定の内容も確認しておきましょう。

海外赴任規定の内容は企業によって様々ですので一様には言えませんが、「国外関連者の負担額は、現地における同業種あるいは同規模の企業における同役職の給与水準を考慮して決定することとし、日本本社の負担額は、日本本社の規定による金額と国外関連者の負担額との差額とする」という趣旨の規定をつくって、日本本社の負担額が給与較差の補てんであることを明確にしている企業もあります。

各種手当の負担者は妥当か

海外赴任規定とも関係することですが、各種手当の負担者についても考えておく必要があります。出向者には様々な手当や福利厚生が与えられます。日本本社の規定に基づくもの、国外関連者の規定に基づくもの、特に規定という形にはしていないものと様々です。

ご紹介した給与較差補てん金の通達には、「給与」ではなく「給与条件」の較差と書かれていますので、日本本社が出向者の人件費をギリギリまで負担したいのであれば、手当の内容を1つひとつ精査して、どこまでが「給与条件の較差」といえるのかを決めなければなりません。

ただ言うまでもなく、日本本社の負担額が増えれば増えるほど寄附金認定リスクが高くなりますので、あまり無理はせず常識的なラインで留めておくほうが無難です。

新興国への出向か

給与水準の低い国に出向した場合、日本本社と現地法人の給与水準の較差ははっきり認識できます。

一方、先進国への出向であれば日本との給与較差はありありませんので、較差補てんであるというロジックは弱くなります。

先進国への出向者に対する給与較差補てん金が絶対に認められないということではありませんが、新興国への出向の場合よりは損金に算入できる余地が小さくなるといえるでしょう。

給与較差補てん分も含めて現地で申告しているか

ここまでは出向者の人件費関連費用を日本本社が負担するのか国外関連者が負担するのかという法人税法上の話でした。

国外関連者が負担すべき費用を日本本社が負担してしまうと、日本の法人税法上の損金に算入されないという海外寄附金のトピックです。

法人税と出向者の個人所得税とは分けて考えなければなりません。

海外出向者は出向先の国で所得税を納めることになりますが、会社が負担した住居費や接待用のゴルフ代を個人所得に含める国もありますので、現地の会計事務所と連携をとって正しく申告してもらいましょう。

日本本社が負担した給与較差補てん金ですが、これは紛れもなく出向者個人の所得ですので国外関連者からの支給分と合算して現地で申告しなければなりません。

間違いなく申告しなければならないのですが、申告していない企業が結構あるようです。

日本本社からの支給分は日本の銀行口座に振り込まれるのでバレないだろうという算段と、現地スタッフに日本人の給与水準を知られたくないという理由からだと思いますが、どの国にも申告しない所得はあり得ませんので正直に申告しましょう。

ある国の会計事務所で聞いた話ですが、その国の税務当局が日本人出向者の所得が少な過ぎると気づき、「日本人の給料がこんなに少ないはずがない。日本の給料振込口座のコピーを出せ」と言われて全部バレたそうです。

最近のデータ改ざん、燃費不正、統計不正などと同様、これまで何十年とバレなかったことが明るみになる時代になったのかもしれません。

源泉徴収は不要

給与較差補てん金の日本における所得税についてもお伝えします。

日本本社が国外関連者への出向者に支払う給与較差補てん金は、日本の国外源泉所得です。

海外出向者は日本の非居住者になっていることが普通で、非居住者は日本の国外源泉所得については（日本の）所得税はかかりません。そのため支給時に源泉徴収は不要です。

ただし、出向者が日本に戻ってきて仕事をしたのであれば、それが短期間であっても給与較差補てん金部分については所得税がかかります。

国外関連者の社員が日本本社に出張をしたとしても、それが短期間であれば租税条約の規定により日本の所得税は免除されることが通常です。

これは183日ルール（正確には短期滞在者免税）として知られているものですが、これはその出張者の給料を日本本社が負担していない場合に限られた話です。

給与較差補てん金は日本本社が負担していますので、短期滞在者免税の適用はなく、日本の所得税（20・42％の源泉徴収）がかかります。

銀行口座への振込額と損金算入額は別

出向者負担金の支給形態についてもお伝えします。

ある出向者に対する国外関連者からの支給額が月40万円（相当額）で、日本本社からの給与較差補てん金が月20万円とします。

国外関連者から現地の銀行口座に月40万円、日本本社から日本の銀行口座に月20万円振り込んでいる場合は特に問題はないでしょう（所得税や社会保険料は無視しています）。

ですが、日本には家族がいるので日本の銀行口座には月45万円振り込んで欲しい、現地では単身なので月15万円でいいという場合は、会社間で精算が必要です。

給与較差補てん金は月20万円なのですから、日本本社が損金に算入できる金額は月20万円だけです。月45万円を損金に算入してしまうと海外寄附金認定を受ける可能性があります。

日本本社が国外関連者の負担分を立替払いしていることになりますので、国外関連者から25万円を返金してもらわなければなりません。

つまり、銀行口座への振込額＝損金算入可能額ではないということです。

銀行口座への振込額を給与較差補てん金として損金に算入しようとすると、同じ国外関連者に同じポジションで出向したとしても、家族帯同の場合と単身赴任の場合で損金算入額が異なるという事態が起きますので、給与の較差補てんであるというロジックが通りにくくなります。

日本の銀行口座への振込額をそのまま損金に算入している企業もあるようですので、念のためご確認ください。

海外赴任中であっても所得税は個人が負担する

海外赴任中は現地の所得税相当額を会社が負担するというルールにしている企業があります。この点についても考えてみましょう。

これは所得税の計算方法は国によって異なるため手取り保証を行うことが目的であり、海外赴任中の「給与条件」の1つといえます。

ただ所得税は個人に対してかかる税金ですので、会社が負担することはできません。

会社がしていることが所得税を本人の代わりに支払うという給与事務の代行作業です。

日本で働いているときを考えるとわかりやすいと思います。会社員は給料から所得税が天引されていますが、これは会社が所得税を代行払いしているだけであり、支払っているのは給与所得者本人です。

これは他の国でも同じです。所得税は本人が負担するものです。

出向者本人は、「海外赴任中は会社が所得税を負担してくれるのか、これは役得だ」と思っていて構わないと思いますが、税務担当者は正しく理解しておく必要があります。

数字を使って、もう少し説明します。

日本における年収が６００万円、所得税控除後の手取りが５００万円の人が、所得税率が一律20％の国に赴任したとします（実際の税率ではなくわかりやすい数字を使っています）。

海外赴任中も手取り５００万円を保証したいのですが、「出向者に５００万円払って、所得税１００万円（20％）は会社が税務署に払って終わり」ではありません。出向者が所得税を免除されるはずがないからです。

正しくは「出向者の年収は６２５万円であり、そこから会社が所得税１２５万円（20％）を天引して税務署に代行納付した結果、手取り５００万円になる」です。

このように手取り額を先に決めて、そこから総支給額を逆算することを「グロスアップ計算」といいます。この言葉を聞いたことがある方も多いのではないでしょうか。

現地所得税を日本本社が名目通りに負担すると寄附金になる

この例では、所得税相当額の負担者が日本本社なのか国外関連者なのかを明示せず「会社」という表現を使いました。

では所得税相当額を負担するというルールをつくっているのはどちらなのでしょうか。

これは両方あり得ますが、日本本社が負担することにしている場合、国外関連者から出向者の現地所得税の納付書を受け取って、そこに記載されている金額を国外関連者に送金すればいいのでしょうか。

実際にそのような処理をしている企業もありますが、先述の通り出向者の人件費を日本本社の損金とすることができるのは、国外関連者が危機的状況でない限りは給与較差補てん金という名目だけです。

「給与較差補てんといえる範囲で出向者の現地所得税を負担している」という説明が通ればいいですが、やはり名目が違いますので、海外寄附金と認定される可能性が高いでしょう。

グロスアップ計算とは

せっかくですので、グロスアップ計算についても説明します。

海外出向者Aさんの年収が1000万円として、日本勤務時はここから所得税を支払うものですが、海外赴任中は「手取り1000万円を保証」という素晴らしい待遇の企業があるとします。

このとき、現地の所得税を支払った後の手取りが1000万円になるような年収を逆算することをグロスアップ計算といいます。

計算例

所得税の税率が一律30％であると仮定し、グロスアップ計算で試算してみましょう。

Aさんの年収1000万円に対する所得税300万円を会社が負担しようとした場合、この300万円はあくまでもAさんに給与として支払い、Aさんが所得税を納めたという形にしなければなりません。

そこで300万円を所得に加え、年収1300万円として所得税を再計算することになります。すると所得税は、1300万円×30％＝390万円と計算されます。

今度はこの390万円を所得に加えて再計算します。すると所得税は、1390万円×30％＝417万円と計算されます。この計算をエクセルか何かを使って十数回繰り返すと、ほとんど数字が動かなくなります。

今回のケースですと、

・3回目　1390万円×30％＝417万円
・4回目　1417万円×30％＝425.1万円
・5回目　1425.1万円×30％＝427.53万円

〜

・11回目　1428.5689万円×30％＝428.5707万円
・12回目　1428.7507万円×30％＝428.5712万円

・13回目　１４２８．５７１２万円×30％＝４２８．５７１４万円
・14回目　１４２８．５７１４万円×30％＝４２８．５７１４万円
となり、14回目以降は小数点以下の動きとなります。

この４２８．５７１４万円＋１０００万円＝１４２８．５７１４万円がAさんの申告すべき給与収入ということです。

検算してみますと、１４２８．５７１４万円×30％＝４２８．５７１４万円となり、手取りがちょうど１０００万円になります。

実際は各種所得控除がありますし、税率も所得のゾーンに応じた累進課税になっていますので、計算はもう少し複雑になりますが、基本的な考え方は同じです。

実際の計算は現地法人の会計事務所が行うことになると思いますが、現地でこういう処理が行われていることは日本本社側も理解しておきましょう。

海外研修の名目で仕事をしていないか

出向者の人件費に関連する話として、日本本社から国外関連者に社員を派遣しているものの、それは研修のためであるため、人件費は日本本社が負担しているというケースがあります。

本当に研修であれば日本本社の損金となりますが、実は国外関連者で仕事をしているのだとすると、出向契約はなくとも事実上の出向ですので、人件費は国外関連者が負担しなければなりま

せん。

研修なのか出向なのかは赴任者の役職、期間、活動内容等から実態を判断するものですが、国外関連者の業績を支援するための仮装隠ぺいと認定された場合は、重加算税の対象になることもあり得ますので注意が必要です。

全額子会社負担にしている企業も多い

海外出向者の人件費に関することを思いつくままにお伝えしました。

給与較差補てん金の損金算入可能額に決められた算定式はありませんので、損金として認められるかどうかは総合判断によって決まります。日本本社の負担額が少ないほど寄附金リスクは低くなるといえますが、それでもゼロにはなりません。海外出向者の人数が多い場合などは否認されたときの金額が非常に大きくなりますので、リスク回避のために全額国外関連者負担としている例も多いです。

しかし、そうなると今度は国外関連者サイドの税務当局に、日本本社からの出向者の人件費が高過ぎるといわれる可能性が出てきます。所得税を納めているのだからよさそうなものですが、そう単純ではないようです。また国外関連者の業績への配慮から全額負担させることができず、給与較差補てん金を負担せざるを得ないこともあるでしょう。このあたりは両国の税務当局の感触や国外関連者の業績などをみながら、うまくバランスをとっていくしかないと思います。

4　子会社貸付金に対する金利

本来受け取るべき利息を寄附したとみなされる

国外関連者に資金を貸し付けることがあると思います。親子ローンといわれるものです。世の中タダでお金を借りることはできませんので、親子ローンをしたのであれば、しかるべき金利を受け取る必要があります。

言われてみればその通りですが、親子会社間の場合、別会社であるという意識が希薄であるため契約書も結ばずに送金して金利を受け取っていないことがあります。

金利を受け取っていないことが税務調査で判明すれば、本来受け取ることができた金利相当分を国外関連者への寄附と認定されることになります。

日本よりも金利水準が高い国外関連者サイドの金利を適用して利息額が算定されるため、金額的なインパクトはかなり大きくなります。

仮にタイにある国外関連者に1億円を無利息で5年間貸しっぱなしであった場合、タイの金利相場から判断して4％の利息相当額を寄附したと認定されるかもしれません。

そうなると1億円×4％×5年＝2000万円もの金利相当額を寄附したと指摘されてしまうのです。親子ローンを行うときは、必ず契約書を結んで金利を受け取るようにしましょう。

ＯＥＣＤの提言を受け、移転価格事務運営要領を改正

では、親子ローンの利率はどのように設定すればいいのでしょうか。

以前の移転価格事務運営要領では、「第三者である銀行から借りた場合に付されるであろう利率」や「国債等で運用した場合の利率」を使用するとされていました。

そのため国外関連者（あるいは日本本社）が借りた場合の利率を銀行にヒアリングし、その利率をベースに親子ローンを行っている企業が多くありました。

ところが国際的な税務ルールの枠組みを策定するＯＥＣＤが、「実際に行われた取引ではない」「必要な財務デューデリジェンスが行われていない」という理由で、銀行提案の比較対象取引としての適格性を否定したのです。

取引のある銀行であれば自社の財務内容を把握しているでしょうし、複数の銀行から提案書を取るなどの方法で客観性を高めることもできますので、ＯＥＣＤの見解が一様に当てはまるとは思いませんが、ともかくこの提言を受けて２０２２年に移転価格事務運営要領が改正されました。

信用力等を総合的に判断

新しい運営要領では現実に行われる取引から比較対象取引を見つけることが難しい場合は、金融市場で取引されている金利（市場金利）で、親子ローンと通貨、時期、期間、信用力等が同様の状況にあるものを比較対象取引として採用することができるとされました。

そして銀行提案については、市場金利等には該当しないが銀行提案を使っているという事実のみを理由として追徴することはないとされました。形式で判断するのではなく、独立企業間価格（利率）といえるかどうかの実質判断を行うということです。

まず貸付通貨、貸付時期、貸付期間を一致させよう

市場金利を参照する際には通貨、時期、期間を実行しようとしている親子ローンと一致させることが重要です。実際はUSドル建てで融資するのに、円建て市場の金利を参照しても比較可能性がありません。

円の低い市場金利を活用して国外関連者の金利負担を軽減したいのであれば、国外関連者に円建てで貸し付けなければなりません。

5年間の親子ローンであるにも関わらず、1年物の市場金利を参照するのも不適切です。また金利相場は日々動きますので、親子ローンを実行する日に近い日付の市場金利を用いる必要があります。

つぶれそうになったら日本本社が助けるはず

次に信用力ですが、いろいろな格付け会社が信用格付けを行っていることをご存じだと思います。国家レベルの信用力があればAAA、その次にAA、A、BBB、BBと続きます。親子ローンの

〔図表26　移転価格事務運営要領３－８（注１，２）〕

（注）１　例えば、金銭の貸借取引の借手が企業グループに属している事実のみを理由として、当該借手に当該事実がなかったとした場合の信用格付等と比較して高い信用格付等が与えられるときのように、取引の当事者が企業グループに属している事実のみを理由とした付随的な便益が生じている場合があるが、当該付随的便益自体に対価が発生するものではないことに留意する。

２　信用格付等を基に取引の当事者に係る信用力の比較可能性を判断する場合には、法人又は国外関連者が企業グループに属していないとした場合の単独の信用格付等を基に判断するのではなく、付随的便益を加味した結果引き上げられた高い信用格付等を基に判断することに留意する。

借り手は国外関連者であることが多いので、国外関連者の信用格付けに応じた利率にする必要があるのですが、その際には「日本本社グループに属していることによる信用力の向上」を加味するとされています。

わかりやすく言うと、国外関連者がつぶれそうになったら日本本社が助けるだろうから、その点を考慮するということです。

重要な国外関連者であればあるほど日本本社も必死になって助けるでしょうから、日本本社の格付けに近づいてくるといえます。

国外関連者単独の財務内容では低い格付けしか望めない場合でも、日本本社に準ずる水準と判断できることもあるでしょう。そしてこのような日本本社の黙示的な支援に対して国外関連者は対価を払う必要がないことが明記されました（図表26）。

日本本社の信用格付けは大体わかる

国外関連者の状況は千差万別でしょうから国外関連者単独の信用格付けは一般企業には難しいと思います。ですが日本本社であれば大体わかるはずです。インターネットで調べれば証券取引所で取引されている社債の発行体の信用格付けがわかります。それと自社を比べてみましょう。

ＢＢＢ以上が投資適格、ＢＢ以下は投機的と言われていますが、安定的に利益を出している企業グループの本社であれば投機的とまではいえないことが多いのではないでしょうか。信用格付けも絶対的なものではありませんので、「ＢＢＢ程度」ぐらいの判断でいいと思います。

国債の利回り＋デフォルト率

親子ローン利率の比較対象取引として、リスクフリー利率にスプレッドを加算した利率を用いることができるとされています（移転価格事務運営要領３‐８（４））。

リスクフリー利率とはデフォルト（債務不履行）になる可能性がほぼゼロの金融商品から得られる利回りのことで、実務上は日本やアメリカの国債利回りが用いられます。例えば1年物米国債の利回りは、ＵＳドル建ての1年間の親子ローンのリスクフリー利率として使うことができます。

次にスプレッドとは、信用スプレッド、すなわち信用力に応じた金利の上乗せ分のことです。

一般的に借り手の信用力が低いほど金利が高くなりますが、その理由を端的に言うと、デフォルトによって発生すると見込まれる損失(期待損失)をカバーできるだけの上乗せ金利を信用スプレッドという形で要求するからです。

先ほど国外関連者の格付けは日本本社に準ずると判断できる場合がある、そして日本本社の格付けは概ねわかるとお伝えしましたが、信用格付けに応じたデフォルト率は格付け会社が公表していますのでインターネットで調べれば大体わかります。

つまり貸付通貨、貸付時期、貸付期間を一致させた国債利回りに信用格付けに応じたデフォルト率を加算することによって、国外関連者の信用力を考慮した利率といえると思います。考え方の1つに過ぎませんが、少なくとも私はこの方法を調査官から否定されたことはありません。

独立企業間価格（利率）は一点に定まるものではなく、一定の幅が認められていることを念頭においた上で、調査で指摘される前に運営要領に準拠した親子ローン利率をスタディしておきましょう。

債務保証料について

移転価格事務運営要領の改正版では、日本本社が国外関連者に直接貸し付けるのではなく、国外関連者が自ら銀行から融資を受け、その融資に対して日本本社が債務保証を行っている場合は債務保証料を受け取らなければならない旨が明記されました。

債務保証料は「信用補完」というグループ内役務提供の対価と整理されており、算定方法には、①イールドアプローチ、②コストアプローチ、③デリバティブ取引の参照の3つがあるとされています。

① イールドアプローチ

イールドアプローチは債務保証がある場合とない場合の金利の差額を保証料の算定根拠とする方法です。

日本本社の債務保証がない場合の融資利率が4％で、債務保証があると3％になるのであれば差額の1％が計算のスタートになります。この場合国外関連者は1％以上払うと債務保証を受けない方が有利になりますので、1％が債務保証料の上限になります。

② コストアプローチ

コストアプローチは、デフォルトによる損失（期待損失）を保証料の算定根拠とする方法です。デフォルト率は前述した「日本本社グループに属していることによる信用力の向上」を加味した上で決定すべきといえます。

国外関連者の（グループに所属していることによる信用力の向上を加味した）信用格付けに応じたデフォルト率が0・5％であり、デフォルトが発生した場合は日本本社が全額補償しなければならないとすると、日本本社は0・5％×100％×債務保証額で計算される金額を「損失の期待値」として負担していることになります。デフォルトしない限り何の費用も発生しないようにみえますが、実際はみえないコストが発生しているということです。ですので、そのコスト（期待損失額）をカバーするために少なくとも0・5％の債務保証料を受け取る必要があります。

なお移転価格参考事例集の【事例4】には上記のような計算方法が例示されていますが、債務保証を行う側にもデフォルトリスクがありますので、日本本社のデフォルト率を差し引いてもいいと思います。

③　デリバティブ取引の参照

債券の発行体の信用リスクを債券自体と切り離して売買するクレジット・デフォルト・スワップという金融派生商品（デリバティブ）があります。債務保証と実質的な効果が似ていますので、このデリバティブの市場価格を親子間の債務保証取引における保証料率として採用できることがあるとされています。しかしこれは金融機関等が参加するプロ市場ですので、一般企業が関わることはあまりないでしょう。

これら3つの方法から最適な方法を選択することになりますが、実務的には②または①あるいは両者の併用になると思います。親子ローン金利に比べると一般的に金額的重要性は低くなりますが、債務保証を行っている場合は念のため保証料を受け取るようにしましょう。

長期滞留している売掛金や未収入金の貸付金認定

国外関連者の資金繰りが厳しい場合、国外関連者に商品・製品を販売した際の売掛金や国外関連者に対する未収入金、立替金の回収が大幅に遅れることがあります。いわゆる「ある時払いの催促なし」です。その遅れが長期におよび通常の営業循環から逸脱していると判断された場合、実質的には国外関連者への貸付金と認定されて金利を取るように指摘される可能性があります。

独立した第三者同士で売掛金の回収が1年も2年も遅れていれば取引停止になるのが通常ですので、国外関連者だからこそ資金繰りを支援していると判断されたことになります。

長期滞留している売掛金や未収入がある場合は、契約書をつくって貸付金に振り替えるなり、出資に切り替えるなどの検討が必要です。

債権放棄額の安易な損金算入は寄附金リスク大

国外関連者を支援するために売掛金や貸付金の債権放棄をすることがあると思いますが、債権放棄額の損金算入は国外関連者が存続している限り基本的には認められません。グループ企業間の債権放棄には恣意性が入る余地が大きいからです。安易に損金処理すると国外関連者への寄附と認定されます。

しかし国外関連者が債務超過などの経営危機にあり、救済しなければより大きな損失が日本本社に及ぶ状況で行う最小限度の債権放棄（及び無利息、低利息貸付）については、国外関連者が存続していても損金算入が認められることがあります。とはいえ税務調査時に激論になることは必至ですので、合理的な再建計画などのエビデンスを入念に用意した上で、慎重の上にも慎重な判断が必要です。

〔図表27　法人税法基本通達９－４－６の２（一部抜粋）〕

法人が、災害を受けた得意先等の取引先に対してその復旧を支援することを目的として災害発生後相当の期間内に売掛金、未収請負金、貸付金その他これらに準ずる債権の全部又は一部を免除した場合には、その免除したことによる損失の額は、寄附金の額に該当しないものとする

別の例としては、災害時などには債権放棄額の損金算入が認められることがあります。

図表27にある「災害を受けた得意先等」は「実質的な取引関係にあると認められる者」とされており、国外関連者を含めてもいいと思います。

また感染症による入国制限や外出自粛などの影響で資金繰りが悪化したときに適時に行う債権放棄も損金として認められる可能性があります。

5　ロイヤリティーについて

しかるべきロイヤリティーを受け取っているか

日本本社が構築した製造ノウハウなどの無形資産を国外関連者に使用させている場合、対価としての使用料（ロイヤリティー）を受け取る必要があります。

ロイヤリティーを何％にすればいいのか、ロイヤリティーの対象となる売上の範囲（国外関連者の売上全体、Out-Out取引全体、特定製品の売上のみ等）をどうするかという点について決まったルールはなく、移転価格事務運営要領にも総合的に判断しなさいと書かれているだけです

〔図表28　移転価格事務運営要領３－12〕

調査において無形資産が法人又は国外関連者の所得にどの程度寄与しているかを検討するに当たっては、例えば、次に掲げる重要な価値を有し所得の源泉となるものを総合的に勘案することに留意する。
イ　技術革新を要因として形成される特許権、営業秘密等
ロ　従業員等が経営、営業、生産、研究開発、販売促進等の企業活動における経験等を通じて形成したノウハウ等
ハ　生産工程、交渉手順及び開発、販売、資金調達等に係る取引網等

（図表28）。

国外関連者が現地で製品をつくって現地の企業に納品するようになると親子間の棚卸資産取引が減ってきますので、日本本社は研究開発活動の成果などをロイヤリティーという形で回収するしか選択肢がなくなってきます。

国外関連者が現地ビジネスで売上・利益を計上できているのは日本本社からのノウハウ提供があったからこそといえるケースでは、調査官は国外関連者からはしかるべきロイヤリティーを受け取るべきで、受け取っていないのであれば、その分は国外関連者への寄附（あるいは所得の移転）と考える可能性があります。

独立価格比準法によるアプローチ

ロイヤリティー料率の決定方法として、他の取引事例を参考にする方法が考えられます。これは第２章で説明したマーケットアプローチの考え方に基づく方法です。

代理店など資本関係のない第三者からロイヤリティーを

受け取った事例があるのであれば、その料率は独立企業間価格ですので、国外関連者との取引との比較可能性を考えた上で、そのロイヤリティー料率を参考にすることができます。

これはロイヤリティー料率の内部比較（内部CUP法）です。

他の選択肢として、ライセンス料率を収録したデータベースから類似取引の料率をもってくる方法も考えられます。これはロイヤリティー料率の外部比較（外部CUP法）です。

業界内で一般的に使われている料率がわかるのであれば、それも参考にはなるでしょう。ですが、そもそも無形資産とは類似するものがないから価値があるといえますので、十分な比較可能性を持つ取引が見つかるかどうか疑問は残ります。

棚卸資産取引との一体検証が便利

実務においてはロイヤリティー料率を単体で考えるのではなく、棚卸資産取引とセットで考える方法が便利です。

取引単位の項で説明した棚卸資産取引と無形資産取引（ロイヤリティーの収受）を1つのまとまりと考えて、その営業利益の水準を検証するアプローチです。

ロイヤリティーは、法形式的には技術援助契約等に基づいて支払われますが、その実態は無形資産を使用することによって得た超過収益の支払いといえます。

日本本社が無形資産をすべて保有しているのであれば、ロイヤリティーを支払った後の国外関連者の営業利益率を比較対象企業と比較することにより、間接的にロイヤリティー料率の妥当性を説明することができます。

例えば、国外関連者のロイヤリティー支払い前の営業利益率が9％で、3％のロイヤリティーを支払った結果、最終的な営業利益率が6％になったとします。

そしてこの国外関連者の比較対象企業として無形資産を保有していない企業を選定し、その営業利益率の四分位レンジが3％〜7％だったとします。

この場合、ロイヤリティー支払い後の営業利益率は独立企業間価格レンジ内に収まっていますので、棚卸資産取引と一体で検証した結果、3％というロイヤリティー料率に移転価格税制上の問題はないという結論になります。

これは第2章で説明したインカムアプローチによるロイヤリティー料率の算定です。

支払いを免除すれば寄附金認定は確実

あまりないと思いますが、既に契約が結ばれていて売上の○％のロイヤリティを受け取ることになっているにも関わらず、国外関連者の業績への配慮から免除あるいは減免したのであれば、その分は確実に子会社支援（＝寄附）と指摘されます。

国外関連者に経済的利益を供与する意図が明らかだからです。

これは先述の親子ローンでも同じです。○％の金利を受け取るという契約があるにも関わらず免除したのであれば、免除した金利分は子会社支援として寄附金認定を受けます。

支払う側で損金にならない可能性がある

ロイヤリティーは無形資産の使用料ですので、支払う側にとっては対価性を判断しづらいものです。日本の立場では、「すごい技術だからこの程度のロイヤリティーは当然」という内容であっても、現地の税務当局にとっては「どれほどの技術かわからない。何をしてくれたのかわからない」という話になります。対価性を判断できないので、国外関連者が赤字で超過収益が出ていないのだからロイヤリティーの損金算入は認めない、黒字であっても○%以上のロイヤリティーは認めないといったことが起こりがちです。

また税務当局と科学技術庁（のようなところ）が連携して、無形資産の価値を判断しようとしている国もでてきているようです。

ロイヤリティーの設定を行うときは、現地の会計事務所とやり取りして損金算入が認められそうかどうかを確認するとともに、日本本社からノウハウの提供を受けていることを説明できる書面（設計図面、メールでのやり取りなど）をできる限り残すようにしましょう。

源泉徴収も要確認

ロイヤリティーを受け取るときは源泉税も要確認です。国外関連者が日本本社にロイヤリティーを支払う場合、普通は現地国の税制で定められた源泉税を天引されます。租税条約を締結している国であれば届を出すことによって、源泉税率が減免あるいは免除されることがあります。

この源泉税は日本本社にとっては法人税の前払いですので、外国税額控除によって精算できますが限度額があります。源泉税を租税公課として損金算入することもできますので、どちらがおトクか検証しておきましょう。

ロイヤリティーをどのように設定するかは経営マター

実際のところロイヤリティーの設定は、それ自体を単独で考えるべきものではなく、日本本社と国外関連者の業績をみながら、営業上の戦略や生産計画、配当方針などを総合的に勘案して決定すべきものです。これは税務というより経営レベルの話といえるでしょう。

個人的には日本本社の製造ノウハウを使っていながらロイヤリティーを全く受け取っていないのは少し極端ですので、ある程度のロイヤリティーは受け取っておくべきだと思います。

とはいえあまりドラスティックに変更すると、いろいろとひずみが出ますので、数年かけてあるべき姿に是正していっている企業もあります。

ロイヤリティー料率やロイヤリティーの計算対象となる売上の範囲を定期的に見直すことにした上で、自社グループにとっての最適なロイヤリティーのあり方を継続検討することが大事なのではないでしょうか。

6章

移転価格対応に失敗しないために

1　移転価格対応は親会社主導で行うべき

子会社任せはムリ

移転価格税制は国際ルールですので、国外関連者サイドでも対応が必要ですが、その対応を国外関連者任せにすることは難しいでしょう。

まず国外関連者には通常、親子間取引についての価格決定権がありません。移転価格税制に対応するということは、親子間取引を独立企業間価格で行うことにより、追徴課税を受けるリスクを最小化するということです。

親子間取引の価格や利益水準を適切にコントロールする必要がありますので、価格決定権のない国外関連者任せにすることはできません。日本本社主導で親子間取引が独立企業間価格かどうかを確認し、問題が生じている場合は改善活動を行うＰＤＣＡサイクルをつくる必要があります。

次に人材面の問題があります。国外関連者は日本本社よりも人的リソースが不足していることが通常です。国外関連者への出向者は経理関係の人ではないはずですし、数年間の任期を終えれば帰国するはずです。よほどの大企業は別として、移転価格税制に対応できる人材を各子会社に配置することは難しいと思いますので、日本本社が移転価格税制の基本的知識を身に着けた上で各子会社をサポートする必要があります。

さらに文書化の際に日本本社でなければ把握できない情報の記載が必要な場合があるという点も挙げることができます。例えば、国外関連者においてマスターファイルの作成が義務づけられている場合です。ローカルファイルは、日本本社と国外関連者の取引について分析した資料ですので、国外関連者で把握できる情報だけで作成することはとりあえず可能です。

一方、マスターファイルは、グループ全体の事業概況を記載した文書ですので、他の国外関連者を含めたグループ全体の情報を知る日本本社でなければ完成させることは難しいといえます。このような理由から、移転価格対応は日本本社がリーダーシップを発揮して行うべきだと思います。

国外関連者のローカルファイルの内容を把握していないことはリスク

国外関連者が作成したローカルファイルの内容を日本本社が把握していないという状況も回避したいです。

顧問先企業に国外関連者サイドでローカルファイルをつくっているかどうかを確認していただくと、「つくってました！」となることがあります。

現地の法令で作成義務があるため現地の会計事務所に依頼してつくってもらっていたことが後からわかったということです。

本来であれば、日本本社が国外関連者が作成したローカルファイルの内容に目を通しておき、不明な点があれば作成した会計事務所に質問する等の対応が必要だったといえるでしょう。

〔図表29　移転価格事務運営要領２－４（２）〕

法人が、当該法人に係る国外関連者が作成したローカルファイルに相当する書類を当該法人のローカルファイルとして使用する場合、当該法人と当該国外関連者の決算期が異なることから生ずるローカルファイルとローカルファイルに相当する書類の作成時期に係る差異については、調整を要しない。

国外関連者がつくったローカルファイルを流用する際の注意点

関連するトピックとして、国外関連者が作成したローカルファイルを日本本社のローカルファイルとして流用できるのかという話をします。

図表29の規定をご確認ください。

国外関連者サイドで作成したローカルファイルを日本サイドのローカルファイルとして使用する場合、決算期がズレているために生じる作成時期の調整は不要という内容です。

国外関連者がつくったローカルファイルを流用してもいいということですが、だからといって、内容をよく理解しないまま日本サイドで使うことにはリスクがあります。

国外関連者がつくったローカルファイルは、「その国から日本への所得移転はない」という結論になっているはずですが、「日本からその国への所得移転」についてどう記載されているかはわかりません。

例えば、国外関連者の比較対象企業の営業利益率の四分位レンジが３％～７％で、国外関連者の切り出し損益の営業利益率が９％である場合、国外関連者サイドの移転価格リスクはないという結論になりますが、日本サイドからみれば移転価格上の問題が生じていることになります。

このローカルファイルをそのまま日本の税務当局に提出するということは、日本からの所得移転を自ら認めたも同然です。

このような判断をできるようになるためにも、まずは日本本社が移転価格税制に関する知見を高めておくことが重要です。

できるだけ多くの関係者を巻き込むべし

ここまでの内容で伝わっているとは思いますが、移転価格税制は他の税金項目よりもビジネスサイドとの関わりが深い税制です。

製品の生産、商品の売買だけでなく、グループ内で行われた役務提供対価のやり取り、ロイヤリティーの受け払い、親子ローンの利息など様々な項目に影響します。

確定申告のように書面上だけの作業で完結することはできませんので、多くの関係者の理解と協力が必要になってきます。各関係者にも「自分の仕事」と思ってもらわなければなりません。

予算や経営計画にも影響する

また移転価格税制は、グループ各社の経営計画や予算にも関わるトピックです。

経営計画や予算は営業面、生産面など様々な要素を勘案して作成していると思いますが、移転価格税制上の問題がないかについても考慮が必要です。

例えば、国外関連者の来期予算が売上50％アップ、営業利益2倍という勇ましいものであっても、それが実現した場合に国外関連者の営業利益率が15％になるのであれば、移転価格税制的にはリスクがあるかもしれません。

販売計画、生産計画、設備投資計画、新製品・新商品の取扱い開始、取引価格の変更、ロイヤリティーやコミッション（販売手数料）の設定や料率変更等について、予算段階で移転価格税制上のリスクがないかを検討しておきましょう。

予算は各部門の業績評価にも関わる重要事項ですので、管理部門だけでなく営業部門や生産部門、日本本社や国外関連者の経営陣にも移転価格税制についての一定の知識と理解が求められます。

国外関連者をサポートできてこそのヘッドクオーター

移転価格税制のルールは、国際機関であるOECDが作成した「OECD移転価格ガイドライン」をベースに各国が税制改正を行ってきたという経緯がありますので、世界各国概ね共通です。

まずは日本本社がしっかりと移転価格税制の内容を理解し、各国外関連者に対して適切なアドバイスができるようになることが重要であり、それができてこその「ヘッドクオーター」ではないでしょうか。

実際、日本本社が移転価格税制についての相談相手になると認識されている企業の場合、国外関連者から移転価格税制上の問題がないかどうかの質問が上がってきています。

「本社に聞いていても何もわかっていないから自分たちで最低限のことだけをしておこう」と思われる本社と、「さすがは本社！　頼りになる！」と思われる本社のどちらを目指すかは各社の判断です。

2　戦略的自己否認も1つの選択肢

国外関連者の赤字は避けたい

毎年、決算が近づいてくるとグループ各社の着地が見えてきます。各社ともに業績好調であればいうことはありませんが、そういう企業ばかりではないでしょう。

このままでは国外関連者が赤字になりそうだ、何とか支援したいという気持ちになることもあると思います。

国外関連者の赤字は何かと都合が悪いです。日本サイドの税務調査では、赤字なので何らかの支援をしているはずだと疑われますし、国外関連者サイドでは移転価格課税のリスクが高くなります。

上場していれば監査法人から減損会計の適用を迫られるかもしれませんし、株主や銀行などへの説明に苦慮するかもしれません。そのためいろいろな理由をつけて日本本社側が費用を負担しようとするのですが、やればやるほど寄附金認定を受けるリスクが高くなります。

指摘を受けたら受けたで大きな問題となる社風の企業もありますので、経理部門はジレンマですが、そういうときはあまり無理をせずに戦略的自己否認を行うことも1つの方法です。

自己否認とは

自己否認とは、業績への配慮等の事情で国外関連者から出張支援費等を回収できない場合において、国外関連者への支援であることを認めて追加的に法人税を払うことです。

確定申告書の別表において、子会社支援分を加算してしまうのです。

国外関連者が費用を負担すれば赤字になって困るのであれば、日本本社で自己否認してしまえば丸く収まることもあると思います。

海外進出企業の中には、国外関連者は業績的にも資金的にも厳しいという一方、日本本社は業績面資金面ともにある程度の余裕があるというケースも多いからです。

実際、「もったいない。もったいない」といいながらも、国外関連者に請求できずに年間数千万円の自己否認をしている企業はあります。

社長は自己否認という選択肢を知らない

この自己否認という選択肢を経営トップはおそらく知らないと思います。確定申告書の細かい中身もみていないでしょう。

会計と税務の違いもあまり認識しておらず、国外関連者の経費を減らすために無理をしてでも日本本社が負担したいと考えているかもしれません。そうであれば自己否認という選択肢を提案することも管理部門の役割の1つではないでしょうか。

すぐに効果がでる

移転価格税制上の問題や寄附金リスクがある場合において、実際に取引価格を変更したり、子会社支援目的の出張旅費を回収するためには一定の時間がかかります。関係者との調整やエビデンスの準備が必要だからです。

その点自己否認はすぐに効果がでるというメリットがあります。決算日が過ぎてからでも、申告書上で寄附金処理をすればいいからです。

税務調査は直近年度からさかのぼって調べますので、直近年度がきれいになっていれば、それ以前の年度については指摘されない可能性もあります。

取り急ぎということであれば自己否認は有用です。

表面上は黒字でも実態は赤字

使いようによっては便利な自己否認ですが、経営的な視点でみると、それでいいのかと思う面もあります。

日本本社が自己否認をするということは、国外関連者が本来負担すべき費用を負担していないということですので、表面上は黒字でも実態は赤字ということになります。

この話の怖ろしいところは、表面上の数字で社内も社外も回るということです。つまり実力値として黒字だったという認識が社内外に浸透するということです。

これは時間が経てば経つほどそうなります。国外関連者の3年前の決算が黒字であれば、日本本社が自己否認したことなど忘れて「3年前は黒字だった」と皆が認識するでしょう。

このように一長一短があるものですが、自己否認という選択肢があること自体は覚えておいて損はないでしょう。

3 安易な特殊要因調整が悲劇を生む

特殊要因調整とは

移転価格税制上の問題とはいえない理由による国外関連者（あるいは日本本社）の利益率への影響を除外することを特殊要因調整といいます。

例えば国外関連者の営業利益にその年限りの多額の在庫評価損が含まれているとすると、その在庫評価損を除いた後の営業利益率と比較対象企業の営業利益率を比較します。

そしてローカルファイルにおいて、「特殊要因調整を行った結果、独立企業間価格レンジ内に収まっているので移転価格税制上の問題はない」と記載します。

特殊要因調整は、本当に特殊事情といえる場合には認められるべきものです。この例では過去の在庫を一掃したことによって営業利益率が下がっただけですから、親子間の取引価格に移転価格税制上の問題があった訳ではないと考えられるからです。

しかしこの特殊要因調整を拡大解釈して、「レンジ内に収めるためのテクニック」として使っている例が多くあります。そして税務調査官がこの特殊要因調整を容認せず、追徴課税に至ることがあります。

本当に特需があったのか

特殊要因調整の例ですが、国外関連者の2021年の営業利益率が非常に高い場合において、「これは特定製品の特需があったからであり、その影響を除外すればレンジ内に収まっている」と説明することがあります。

しかしその製品が2020年も2019年も売れ続けていたのであれば、それは特需とはいえません。2021年分だけのローカルファイルであれば誤魔化すことができても、過去数年さかのぼって調べればすぐにわかることです。実際は他の製品も含め、親子間の取引価格の設定方法に問題があった可能性があります。

あるいは「為替レートが予算から大きくかい離したので国外関連者の利益率が高くなった（低くなった）。これは特殊要因だから除外する」と説明することもあります。為替変動が特殊要因として認められることもあるとはいえ、基本的には為替変動を考慮した上で国外関連者の営業利益率を一定レンジ内に収める必要があります。為替リスクを日本本社が負担するよう取引条件を変更した企業もあります。

稼働率が低いのは特殊要因か

国外関連者が赤字などレンジの下限を下回っている場合は、現地当局への抗弁を考えなければなりません。

この場合によく使われる特殊要因調整が、「工場の稼働率が60％だったので、固定費の40％を特殊要因として除外する」というものです。

そんなことをしたらどんな企業もまず確実に黒字になりますが、単なる販売不振というレベルではなかなか認めてもらえないでしょう。

ただこれも事実認定の世界ですので、例えば新型コロナによって工場が止まったという状況であれば特殊要因として認められる余地もあるはずです。

赤字企業を含めてレンジの下限をマイナスにする？

特殊要因調整ではなく、比較対象企業に赤字企業を含めることによってレンジ内に入っていると説明しているローカルファイルもあります。「比較対象企業の営業利益率は△3％〜7％であり、国外関連者の営業利益率は△2％なのでレンジ内に入っている」という説明です。

比較対象企業は3年や5年の平均営業利益率を使いますので、平均でマイナスということは継続企業としての前提が疑われる状態かもしれません。

比較対象企業に赤字企業を絶対含めてはいけないというルールはないものの、国外関連者が負っているリスクは限定的だと分析しているでしょうから、そのような業績不振企業と国外関連者に比較可能性があるかは疑問です。

ただこれも、新型コロナなどの異常事態によって国外関連者も比較対象企業も一様に業績不振になったと合理的に説明できるのであれば認められることもあると思います。

フルレンジ、複数年度検証、利益分割法・・

利益率レンジ内に収めるために四分位レンジではなくフルレンジを使って、「営業利益率1％から23％が独レンジである」などの例もありますが、これではもはやルールがないも同然です。フルレンジが絶対認められない訳ではありませんが、普通は四分位レンジを使います。

あるいは第4章でもお伝えした複数年度検証を行っていることもあります。「国外関連者の3年間の平均営業利益率がレンジ内に入っているからＯＫ」という説明方法ですが、平均を取るということは所得移転があった可能性が高い年と、なかった年を相殺することに他なりません。よほどでない限り認められないと考えておくべきでしょう。

さらにはどうしてもレンジ内に入らないときは、都合のいい分割ファクターを探してきて利益分割法を適用していることもあります。

「営業マンの人数が1：4だから、日本本社が親子の合計利益の20％以上を獲得していれば問題ない」といった説明です。

移転価格リスクが放置される原因になっている

このようなテクニックを駆使すれば移転価格税制上の問題はないというローカルファイルをつくること自体は難しくありません。ですがそれを調査官が認めなければ意味がありません。それどころか専門家がつくったローカルファイルに「問題ない」と書かれているのを鵜呑みにして、取引価格の見直しを行わずに放置してしまうことになりかねません。

これまで何度もお伝えしたように、移転価格税制は文書作成ではなく親子間の取引価格の問題です。

追徴リスクがあるときはあるのですから、むしろまずは社内向けに「移転価格税制上の問題がある」というローカルファイルをつくって、問題提起するほうが建設的ではないでしょうか。

4　社内体制が整備されていれば移転価格は怖くない

何も考えていないことが問題

ローカルファイルの書き方が悪いと書いてきましたが、そもそもの問題は企業の認識不足にあります。

国外関連者の利益率が低過ぎれば現地サイドの移転価格リスクが高くなる、国外関連者の利益率が高過ぎれば日本サイドの移転価格リスクが高くなる、日本本社と国外関連者は別企業なので財布を分ける必要があるという基本的な知識を知らないことが問題なのです。

国外関連者を設立したのであれば、ビジネスを軌道にのせることが第一優先であることは理解できます。

製造子会社であれば生産体制の確立、販売子会社であれば販売活動にもっとも力を注ぐべきです。そうしなければ会社自体が維持できないからです。

ですが、設立から何年も経っているのに、いつまでも製造や販売のことばかりを考えていて、管理面が後回しになっている企業が多いと思います。

確かに法律で強制される確定申告や会計監査は受けているでしょうし、物理的に資金がない場合の資金繰り対策はしているでしょう。

ですが、それ以外の部分について、あまりにもずさんな企業が多いです。

親子間取引に契約書はない、親子間取引の価格の決め方は昔からの習慣をそのまま踏襲、経費の負担関係についても何のルールもないという状態です。

製造子会社のことを自社の工場だと考えているから無料でどんどん出張支援を行ってしまい、後の税務調査で子会社支援だと指摘されることになります。

国外関連者を無償支援すると寄附金認定を受けることがわかっていれば、「子会社の業績が厳しいので、子会社向け販売価格を下げる」という役員会議事録を残したりはしないはずです。

調査官が議事録を見ることは確実ですので、「子会社支援をしましたよ」と宣言しているも同然です。

さらにいえば国外関連者に税務調査が入っていたことを知らない、国外関連者がローカルファイルをつくっていることを知らない、当然どんな内容なのかも把握していないという状態です。

これは企業規模や上場未上場の別は関係ありません。

親子であっても別企業であることを認識し、移転価格税制や海外寄附金についての知識を得て対策をしているかどうかだけの違いです。

規模が小さくても未上場企業であっても、しっかりしている企業は驚くほどしっかりしています。

まずは利益水準の検証

具体的に何をするのかですが、まずは日本本社と国外関連者の（切り出し損益の）営業利益率の水準を検証しましょう。

本格的に文書化を行う際には企業データベースの購入が必要になる可能性が高いですが、検証の初期段階では国外関連者のライバル(と思われる)企業の利益率を確認するだけでも構わないでしょう。

多くの場合は、国外関連者サイドの利益率を検証することになりますので、国外関連者と業種や規模が類似している企業の決算データを確認し、同業他社の利益水準よりも高い場合は、どのような説明をするのかを考えておかなければなりません。

取引価格を改定するにしても、恣意的な価格改定や子会社支援目的ではないと説明するために、検討資料や社内決裁資料を用意しておく必要があります。

それをせずに、期末間際に価格調整金などの名目で国外関連者に多額の送金をするといった場当たり的な対応をしている例もありますが、それでは国外関連者への支援や所得の移転と判断される可能性が高いです。

内部比較（二重価格）のチェックも重要

利益率レンジだけでなく、内部比較対象取引にも注意が必要です。

内部比較は、比較対象企業の利益率レンジと比較する外部比較よりも証拠力が強いものです。

国外関連者の利益率がレンジ内に収まっていても、内部比較による所得移転や子会社支援の有無については別に検証が必要です。

国外関連者に販売している価格と第三者である代理店に販売している価格に差があるのであれば、価格差の妥当性についてどこまで説明がつくのか検証し、説明できない部分は価格の是正を検討しましょう。

実際、粗利益率が高い業種において、国外関連者向けと海外代理店向けの粗利益率が3倍ほども違っている例もあります。

過去からの習慣をそのまま続けたいという気持ちはわかりますが、それで本当に所得移転がないと説明できるのか事前に検証しておくことが重要です。

ローカルファイルの年度更新はすぐに終わる

ローカルファイルの作成は、初年度はそれなりに労力がかかります。初めてのことですので検討することが多いですし、関係部門との調整なども必要だからです。

その分、２年目以降はかかる労力がグッと少なくなります。１年でビジネスが大きく変わることは少ないからです。

利益率レンジと内部比較の両方を日頃からチェックする社内体制を構築しておけば、ローカルファイルは確認の意味で作成するだけですので、更新作業自体はあっという間に終わります。

当事務所の顧問先企業も国外関連者との取引に大きな変更がなければ、「年度更新？　もう終わりましたよ」という感じです。

また、１つの国外関連者とのローカルファイルができれば、その他の国外関連者とのローカルファイルは同じパターンで作成できることも多いです。

例えば、日本本社が製造した製品を各国の販売子会社で販売しているケースにおいて、取引額の大きい販売子会社とのローカルファイルを作成したのであれば、その他の販売子会社については企業情報データベースさえ取得すれば、コピペでほとんど終わることもあります。

「韓国子会社とのローカルファイル？　もうつくりましたよ」という感じです。

これは企業自身がローカルファイルのロジックと作成実務を理解したことによる成果です。

とにかくエビデンス

移転価格税制や海外寄附金への対応はエビデンスの整備がとにかく重要です。

例えば、親子間取引に係る契約書を整備することも移転価格対応の一環です。

国外関連者との間で金利やロイヤリティー、コミッションなどの収受を行う場合は、当然ながら契約書が必要です。

例えば、国外関連者に1000万円のコミッションを払ったとして、契約書がなければ、何の活動の対価なのか、計算根拠は何なのかという説明が難しくなります。

第三者同士の取引で契約書を結ばないことがあり得ないのと同様、国外関連者との取引に対しても契約書は必要です。

メールもエビデンス

といって契約書に書いていれば何でもOKかというと、それも違います。契約書があっても対価性のない取引についての損金算入は認められません。

例えば「市場調査費用として国外関連者に毎月500万円支払う」という契約書があったとしても、日本本社がそれに見合ったサービスを受けている実態を調査レポートなどのエビデンスによって説明できなければ、国外関連者への利益供与と認定される可能性があります。

契約書がなければ認められないものもあれば、契約書があっても認められないものもあるということです。

また税務調査においてはメールもエビデンスになります。

日本本社の必要経費なのか子会社支援なのかで見解が分かれた場合など、活動実態を確認するための最終手段としてメールの提出が求められることがあります。

日本本社と国外関連者のメールのやり取りは非常に多いはずですのですべてを確認することは現実的ではありませんが、子会社支援が疑われる取引が判明している場合は、組織図をみながら「○年×月から△月までの国際部のAさん、Bさんと国外関連者とのメール」というように対象者と期間を特定して提出が求められます。

メールは海外との連絡手段として非常に便利なツールである一方、このような注意点があることも認識しておく必要があります。

外注したほうがいい場合

私はここまで、ローカルファイルの作成・更新を外注してはいけない、移転価格税制や海外寄附金への対応は企業自身が行うべきといってきました。

これは普段は注意すべきことを注意せずにいて、税務調査が入ってから慌ててローカルファイルをつくるなどの対応をしても追徴課税を減らす効果は期待できないという意味です。

そのため企業自身がローカルファイルのストーリーや海外寄附金リスクのある項目を理解し、そのリスクを低減するための活動を日常的に行いましょう、別の言い方をすれば移転価格税制に対応できる社内体制を構築しましょうと主張しているのですが、これは言ってしまえば理想論です。

企業が置かれた状況は様々ですので、理想どおりにいかないこともあるでしょう。

例えば、国外関連者サイドでローカルファイルやマスターファイルの作成が義務化されたので日本本社に相談したものの、「よくわからないから、そっちで何とかして」と返されたという話はよく聞きます。

申告期限までにローカルファイルとマスターファイルを作成しなければならないとその国の法律で決まったのですから、それは守らなければなりません。

日本本社の協力が得られないのですから、その場合は現地の会計事務所等に外注するしかないでしょう。

これは追徴リスクを抑えるというよりは、「作成義務がある文書を作成する」という作業ですので、同じローカルファイルづくりでも意味合いが異なってきます。

移転価格対応の内製化にチャレンジしよう

追徴課税リスクを本当に減らしたいのか、法律で決められた文書をとりあえず作成しておけばいいのか、これは各社の判断です。

どの国に進出しているのか、国外関連者との取引額や国外関連者の利益率はどの程度か、移転価格対応にはどれくらいのコストがかかるのか、上場企業かオーナー企業か、国税局管轄か税務署管轄か、コンプライアンスを重視する社風か、など様々な要素を勘案して自己責任で判断する以外にありません。

冒頭の繰り返しになりますが、本書は移転価格税制の中身自体を解説することが目的ではなく、移転価格対応に失敗しないために企業自身が構築しておくべき社内体制について解説した本です。

本書をご覧になって、移転価格税制はそんなに難しい話ではなさそうだ、外部コンサルに依頼するだけでは根本的な問題解決にはならないだろう、と思った方もいるはずです。

そういう方はぜひ移転価格対応の内製化にチャレンジしてください。移転価格税制への対応は、これからの時代の海外進出企業が備えておくべき素養の1つだと思います。

社内体制が整備されていれば移転価格は怖くない

新型コロナは親子間取引にも大きな影響を与えました。国外関連者の営業利益率がレンジを下回ったらどうなるのか、特殊要因として認められるのか、など考えることは多いと思います。これについては各国当局のスタンスもあるでしょうし、各社ごとに状況は違いますので一概にいうことはできないと思います。

日本のあるメーカーもコロナの影響を受けて、製造子会社の稼働がほぼ止まりました。このままだと独立企業間価格レンジの下限を下回る可能性がある状況です。そこでこの企業は緊急価格改定を行うことを決め、役員の承認も得た上でコロナ発生からわずか2ヶ月後に各製造子会社からの購入価格を大幅に引き上げたのです。

その後コロナも多少落ち着き製造子会社の稼働率も持ち直してきたので、数ヶ月後には購入価格を少し引き下げましたが、それでもグループ全体のコロナによる損失の約8割を日本本社が負う結果になりました。

その後の税務調査が心配でしたが、従前から「国外関連者が負うリスクは限定的」と記載したローカルファイルを整備していたのはもちろんのこと、価格改定を行った際の計算基礎資料、役員会議事録等をしっかり残していたので指摘は免れました。国外関連者の業績支援ではなく、あくまでも移転価格税制上の問題がないようにするための価格改定であることが容認された形です。

税務調査の結果もよかったですが、それ以上に大事なことは、この企業が移転価格税制に対応できる社内体制を構築していたことです。決裁者の承認を得た上ですばやく価格改定を行うためには、移転価格税制に対する全社的理解が不可欠です。ぜひこの企業のような状態を目指しましょう。

移転価格税制と人事評価は別の問題

とはいえ移転価格税制に対応しようとすると抵抗感を示す人たちも出てきます。取引価格が変わることによって自部門の業績や自分たちの収入に影響するからです。それはよくわかりますが、そもそも移転価格税制と人事評価はまったく別の問題です。調査官は人事評価のことなど考慮してくれません。

人事評価用に別の数字を使うというアイデアもあるとは思います。しかし別に移転価格税制だけが理不尽を言ってくる訳ではないと思います。販売先の部長が変わって取引を打ち切られた、原材料価格が上がって利益が取れなくなったなど、他にも「理不尽」な理由で評価が下がることはいくらでもあるはずです。海外でビジネスをする以上、こういう税制とも付き合っていかなければならないと理解してもらうしかないでしょう。

最後は交渉力

いろいろ書いてきましたが、税務は会計と違って、理論をあまり追求しても仕方がない面があると思います。

上場企業などが適用している企業会計の基準は、投資家向けに企業の収益力や財政状態を会計理論的に示そうとするものです。

それに対して税務は、第一に税収の確保という至上命題があり、次に課税の公平を実現したいという目標があります。

法人税率が30％か20％かという話は理論ではなく政治です。

税務調査でよく言われる「お土産」もまったく理論的なものではありませんが、実務的に有効だから多くの人が信じているのでしょう。

特に移転価格税制や海外寄附金は、所得移転があるのかどうか、無形資産があるのかどうか、子会社支援かそうでないかという判然としないトピックです。

できるだけの準備をしておくことは確かに大事ですが、理論武装だけで何とかなるものではなく、交渉力も重要だと思います。実際、子会社支援を疑う調査官に対して、「あなたね、自分の子どもが困っていたら放っておきますか？　助けるのが普通でしょ？」といって要求を呑んでもらったという話も聞いたことがあります。

断片的な話ですので、これだけで何かを判断できるものではありませんが、税務調査は最終的には理論5割、交渉5割ぐらいなのではないでしょうか。

しかしこれもあくまで日本の話です。

諸外国においては、「文句あるなら裁判起こしてくれ」「追徴金を払わないなら逮捕するぞ」というような交渉の余地がまったくないケースもあるようです。

逮捕はされたくありませんので、交渉するにしても日本サイドで行うほうが無難でしょう。

移転価格対応を進めるにあたって日本本社の負担は増えますが、海外に進出できたからこその課題と考えて楽しく取り組みましょう。

以上です。本書をお読みくださり、ありがとうございました。

あとがき

世界を見渡せば、新型コロナウイルスの流行やウクライナへの軍事侵攻など予期せぬことが次々と起こっています。グローバルな供給網を再構築したり、政治リスクの高い国から撤退を考えている企業もあるでしょう。

とはいえグループ企業を各国につくって、グローバル企業として拡大したいと考えている企業もまた多いはずです。そしてグループ企業間で取引をする以上は、移転価格税制や国外関連者への寄附金課税への対応を避けて通ることはできません。

移転価格税制は変わった税制だと思います。

ローカルファイルには「国外関連者の営業利益率がレンジ内なのでＯＫ」と書きながら、日本本社サイドを無視できるかといえばそうでもなく、「フルレンジが原則」といいながら四分位レンジが一般的に使用されているなど、理論と実務にかい離があると感じています。比較対象企業にいたっては本当に純粋に比較可能性を判断したのか、都合のいい数字に合わせにいったのではないかと大いに疑問です。

税制と呼べる程の精度はなく、一種の貿易ルールのようなものと考えるべきなのかもしれません。

この捉えどころのない「税制」との付き合いは、「先手必勝」に限ると思います。

本書はわかりやすさ重視の入門書ではありますが、移転価格税制や寄附金課税に対応するにあたって注意すべきことがおおむね網羅されています。本書をチェックリスト的に使って、調査で指摘される前にできることをやっておきましょう。何もしていないとノーガードでリングに立つようなものですが、少しでも備えておけば最低限の抗弁はできます。

末筆になりますが、改訂版出版にあたり情報をいただいた顧問先企業の皆様、海外の会計事務所の皆様に御礼申し上げます。

本書が海外進出企業の皆様のお役に立つことを願います。

ありがとうございました。

押方　新一

著者略歴

押方　新一（おしかた　しんいち）

移転価格コンサルタント

1978年生まれ　大阪大学経済学部卒業

公認会計士・税理士

大手監査法人、レンタル自習室の経営、中堅貿易商社を経て押方移転価格会計事務所を設立。「移転価格対応の内製化支援」をコンサルティングコンセプトとして、移転価格税制に対応できる社内体制の構築支援を行っている。国内外で行った移転価格セミナーの参加者は500人以上。相談・コンサルティング実績は70社以上。無料メルマガ「週刊移転価格マガジン」を毎週発行している。

改訂版　移転価格対応に失敗したくない人が最初に読む本

2019年6月7日　初版発行　　2020年1月17日　第2刷発行
2022年8月5日　改訂版初版発行　2024年9月26日　改訂版第2刷発行

著　者　押方　新一　© Shinichi Oshikata

発行人　森　　忠順

発行所　株式会社 セルバ出版
〒113-0034
東京都文京区湯島1丁目12番6号 高関ビル5B
☎03（5812）1178　　FAX 03（5812）1188
https://seluba.co.jp/

発　売　株式会社 三省堂書店／創英社
〒101-0051
東京都千代田区神田神保町1丁目1番地
☎03（3291）2295　　FAX 03（3292）7687

印刷・製本　株式会社 丸井工文社

ISBN978-4-86367-755-5